Mein erstes Vorlesebuch

Sonne, Mond und Sterne

Mit Bildern von Eva Möhle

KOSMOS

Inhalt

Christian Morgenstern

Traumliedchen

Träum, Kindlein, träum,
im Garten stehn zwei Bäum'.

Der eine, der trägt Sternlein,
der andre Mondenhörnlein.

Da kommt der Wind der Nacht gebraust
und schüttelt die beiden mit roher Faust.

Das Mondenhörnleinbäumlein steht,
als wäre gar kein Wind, der weht.

Das Sternenbäumlein aber, ach,
dem fallen zwei Sternlein in den Bach.

Da kommen zwei Fischlein munter –
und schlucken die Sternlein hinunter.

Und hätte es nicht sterngeschnuppt,
so wären sie nicht so schön geschuppt.

Träum, Kindlein, träum,
im Garten stehn zwei Bäum' ...
der eine, der trägt Sternlein,
der andre Mondenhörnlein.
Träum, Kindlein, träum ...

Brüder Grimm

Der Mond

Vor Zeiten gab es ein Land, wo die Nacht immer dunkel und der Himmel wie ein schwarzes Tuch darüber gebreitet war, denn es ging dort niemals der Mond auf, und kein Stern blinkte in der Finsternis. Bei Erschaffung der Welt hatte das nächtliche Licht nicht ausgereicht.

Aus diesem Land gingen einmal vier Burschen auf die Wanderschaft und gelangten in ein anderes Reich, wo abends, wenn die Sonne hinter den Bergen verschwunden war, auf einem Eichbaum eine leuchtende Kugel stand, die ein sanftes Licht ausgoss.

Man konnte dabei alles wohl sehen, wenn es auch nicht so glänzend wie die Sonne war.

Die Wanderer standen still und fragten einen Bauer, der da mit seinem Wagen vorbeifuhr, was das für ein Licht sei.

„Das ist der Mond“, antwortete dieser, „unser Schultheiß hat ihn für drei Taler gekauft und an dem Eichbaum befestigt. Er muss täglich Öl aufgießen und ihn rein erhalten, damit er immer hell brennt. Dafür erhält er von uns wöchentlich einen Taler.“

Als der Bauer weggefahren war, sagte der eine von ihnen: „Diese Lampe könnten wir brauchen, wir haben daheim einen Eichbaum, der ebenso groß ist, daran können wir sie hängen. Was für eine Freude, wenn wir nachts nicht in der Finsternis herumtappen!“

„Wisst ihr was?“, sprach der zweite, „wir wollen Wagen und Pferde holen und den Mond wegführen. Sie können sich hier einen anderen kaufen.“

„Ich kann gut klettern“, sprach der dritte, „ich will ihn schon herunterholen.“

Der vierte brachte einen Wagen mit Pferden herbei, und der dritte stieg den Baum hinauf, bohrte ein Loch in den Mond, zog ein Seil hindurch und ließ ihn herab.

Als die glänzende Kugel auf dem Wagen lag, deckten sie ein Tuch darüber, damit niemand den Raub bemerken sollte. Sie

brachten ihn glücklich in ihr Land und stellten ihn auf eine hohe Eiche. Alte und Junge freuten sich, als die neue Lampe ihr Licht über alle Felder leuchten ließ und Stuben und Kammern damit erfüllte. Die Zwerge kamen aus den Felsenhöhlen hervor, und die kleinen Wichtelmänner tanzten in ihren roten Röckchen auf den Wiesen den Ringeltanz.

Die vier versorgten den Mond mit Öl, putzten den Docht und erhielten wöchentlich ihren Taler. Aber sie wurden alte Greise, und als der eine erkrankte und seinen Tod voraussah, verordnete er, dass der vierte Teil des Mondes als sein Eigentum ihm mit in das Grab gegeben werden sollte. Als er gestorben war, stieg der Schultheiß auf den Baum und schnitt mit der Heckenschere ein Viertel ab, das in den Sarg gelegt ward. Das Licht des Mondes nahm ab, aber noch nicht merklich.

Als der zweite starb, ward ihm das zweite Viertel mitgegeben, und das Licht minderte sich. Noch schwächer ward es nach dem Tod des dritten, der gleichfalls seinen Teil mitnahm, und als der vierte ins Grab kam, trat die alte Finsternis wieder ein. Wenn die Leute abends ohne Laterne ausgingen, stießen sie mit den Köpfen zusammen.

Als aber die Teile des Mondes in der Unterwelt sich wieder vereinigten, so wurden dort, wo immer Dunkelheit geherrscht hatte, die Toten unruhig und erwachten aus ihrem Schlaf. Sie erstaunten, als sie wieder sehen konnten: Das Mondlicht war ihnen genug, denn ihre Augen waren so schwach geworden, dass sie den Glanz der Sonne nicht ertragen hätten. Sie erhoben sich, wurden lustig und nahmen ihre alte Lebensweise wieder an. Ein Teil ging zu Spiel und Tanz, andere liefen in die Wirtshäuser, wo sie Wein forderten, sich betranken, tobten und zankten und endlich ihre Knüttel aufhoben und sich prügelten. Der Lärm ward immer ärger und drang endlich bis in den Himmel hinauf.

Der heilige Petrus, der das Himmelstor bewacht, glaubte, die Unterwelt wäre in Aufruhr geraten, und rief die himmlischen Heerscharen zusammen, die den bösen Feind, wenn er mit seinen Gesellen den Aufenthalt der Seligen stürmen wollte, zurückjagen sollten. Da sie aber nicht kamen, so setzte er sich auf sein Pferd und ritt durch das Himmelstor hinab in die Unterwelt. Da brachte er die Toten zur Ruhe, hieß sie sich wieder in ihre Gräber legen und nahm den Mond mit fort, den er oben am Himmel aufhing.

Nach Ludwig Auerbach

Der Schneider auf dem Mond

Ein Schneider, der durch die Welt wanderte, verirrte sich auf den Mond. Ein solcher Mann war dem Mond sehr willkommen. „Ich friere immer so“, klagte der Mond, „besonders in den kalten Winternächten, und da wäre ein warmer Mantel für mich genau das Richtige.“

Ob der Schneider wollte oder nicht, er musste bleiben und er nahm sogleich Maß an dem Mond. Der hatte aber einen riesig großen Buckel und einen dünnen, dünnen Bauch. Der Mantel war trotzdem bald fertig und er stand dem Mond vorzüglich, trotz seiner merkwürdigen Figur.

Aber siehe da! Nun schwoll der Kunde von Tag zu Tag und sein Bauch wurde immer dicker und der Mantel immer enger. Da hatte der Schneider vollauf zu tun, um nachzuhelfen, aufzutrennen und dranzusetzen. Zuletzt wurde der Mond ganz dick und fett und kugelrund und der Schneider konnte kaum so viel Stoff auftreiben und so viel Zeit um die Arbeit fertig zu stellen, Nacht für Nacht.

Nun endlich glaubte der Schneider, er werde Ruhe haben und Urlaub bekommen. Aber was geschah? Jetzt fing der Mond an ordentlich einzuschrumpfen von Tag zu Tag, so dass ihm der Mantel immer weiter wurde und um seinen Leib schlotterte. Ja, was noch schlimmer war, er nahm jetzt am Rücken ab, während

er vorn den dicken Bauch behielt und er sah zuletzt aus wie ein Clown, der sich rückwärts auf den Boden niederlässt.

Nun gab's für den Schneider Arbeit ohne Ende: Immer wieder musste er nachhelfen und auftrennen und abnehmen, bis es passend war.

Endlich, nach drei Wochen bekam er Ruhe! Denn der Mond legte sich schlafen und ließ sich mehrere Tage nicht mehr sehen. Unser Schneider aber nutzte die Gelegenheit, verließ heimlich den Mond und setzte seine Wanderung fort. Ob er aber zuletzt in den Himmel gekommen ist, das weiß man nicht.

Warum geht die Sonne auf?

Morgens wird es draußen hell und die Vögel fangen an zu zwitschern. Schnell raus aus dem Bett! Bis du gefrühstückt hast, steht die Sonne schon ein Stückchen höher am Himmel. Mittags hat sie ihren höchsten Punkt erreicht. Warum aber wandert die Sonne am Himmel entlang?

In Wirklichkeit bewegt sich die Sonne gar nicht. Es ist die Erde, die sich wie ein riesengroßes Karussell dreht. Wenn du auf einem Karussell sitzt, flitzen draußen die Buden mit den Süßigkeiten an dir vorbei. Bei der Erde ist das genauso, nur viel langsamer. Unsere Erde braucht einen ganzen langen Tag, bis sie sich wie ein Karussell einmal um sich selbst gedreht hat! Wir Menschen fahren auf der Erde allmählich an der Sonne vorbei, so lange, bis wir sie nicht mehr sehen können. Dann wird es Nacht und die Sterne funkeln. Die Sonne leuchtet jetzt auf der anderen Seite der Erde.

Joachim Ringelnatz

Bist du schon auf der Sonne gewesen?

Bist du schon auf der Sonne gewesen?
Nein? – Dann brich dir aus einem Besen
Ein kleines Stück Spazierstock heraus
Und schleiche dich heimlich aus dem Haus
Und wandere langsam in aller Ruh
Immer direkt auf die Sonne zu.
So lange, bis es ganz dunkel geworden.
Dann öffne leise dein Taschenmesser,
Damit dich keine Mörder ermorden.

Und wenn du die Sonne nicht mehr erreichst,
Dann ist es fürs erstemal schon besser,
Dass du dich wieder nach Hause schleichst.

Wilhelm Hey

Weisst du, wie viel Sternlein stehen

1. Weißt du, wie viel Stern – lein ste – hen an dem blau – en Him – mels-

zelt? Weißt du, wie viel Wol – ken ge – hen weit – hin

ü – ber al – le Welt? Gott, der Herr, hat sie ge –

zäh – let, dass ihm auch nicht ei – nes feh – let an der

gan – zen gro – ßen Zahl, an der gan – zen gro – ßen Zahl.

2. Weißt du, wie viel Mücklein spielen
in der heißen Sonnenglut,
wie viel Fischlein auch sich kühlen
in der hellen Wasserflut?
Gott, der Herr, rief sie mit Namen,
dass sie all ins Leben kamen,
dass sie nun so fröhlich sind.

3. Weißt du, wie viel Kindlein frühe
stehn aus ihren Bettlein auf,
dass sie ohne Sorg und Mühe
fröhlich sind im Tageslauf?
Gott im Himmel hat an allen
seine Lust, sein Wohlgefallen,
kennt auch dich und hat dich lieb.

Melodie: Volksgut

Max Bolliger

Der kleine Stern

Es war einmal ein kleiner Stern. Er wohnte an der Milchstraße. An der Milchstraße wohnten auch andere Sterne. Aber sie waren groß und kümmerten sich nicht um ihn.

Ich bin zu klein. Sie brauchen mich nicht, dachte er. Traurig schaute der kleine Stern auf die Erde hinunter. Dort standen die Sterne dicht zusammen und waren genauso winzig wie er.

„Sie haben es gut", sagte er und ließ sich eines Nachts auf die Erde fallen. Er landete auf einer Bergspitze. Dann kugelte er den Abhang hinunter. Auf einer Wiese in der Nähe einer Stadt blieb er liegen. Doch wo waren nun die vielen winzigen Sterne, die er aus der Ferne gesehen hatte? Sie waren ebenso groß wie seine Kameraden am Himmel. Und es waren gar keine Sterne. Es waren Straßenlampen. Der kleine Stern schaute zum Himmel hinauf. Da entdeckte er die Milchstraße. Er staunte. Dort standen die Sterne dicht zusammen und waren genauso winzig wie er.

Hatte er den langen Weg umsonst gemacht? Der kleine Stern fand sich nicht mehr zurecht und fing an zu weinen.

Da ging die Sonne auf. Sie sah den kleinen Stern auf der Wiese liegen.

„Warum weinst du?", fragte sie.

„Was klein ist, ist groß, und was groß ist, ist klein, und ich weiß nicht warum", antwortete er.

„Das ist ein Rätsel", sagte die Sonne, „ich will dir helfen, es zu lösen." Die Sonne nahm den kleinen Stern mit auf ihre Reise.

Am Morgen zeigte sie ihm die Dinge aus der Nähe:
eine Blume, einen Baum, ein Tier.

Am Mittag zeigte sie ihm die Dinge aus der Ferne:
die Blumen, die Bäume, die Tiere.

Am Abend aber, als die Sonne untergehen wollte, ließ sie den kleinen Stern auf ihrem letzten Strahl an seinen alten Platz zurückklettern.

Weit unter ihm lag die Erde.

Der kleine Stern wusste jetzt, warum kleine Dinge groß und große Dinge klein sind.
Er hatte sie aus der Nähe betrachtet und aus der Ferne gesehen.

Der kleine Stern strahlte.

Er hatte das Rätsel gelöst. Er hatte die Reise nicht umsonst gemacht.

Warum leuchten die Sterne?

Wenn du nachts zum Himmel schaust, kannst du viele helle kleine Lichtpunkte sehen. Diese Punkte nennen wir Sterne. Eigentlich sind die Sterne in Wirklichkeit lauter Sonnen. Manche von ihnen leuchten sogar heller als unsere Sonne. Aber die Sterne sind so weit von der Erde entfernt, dass wir sie nur als klitzekleine Pünktchen am Himmel wahrnehmen.

Wenn dich am Morgen ein heller Sonnenstrahl an der Nase kitzelt, dann ist dieses Licht von der Sonne bis zur Erde acht Minuten lang gereist. Das Licht des nächsten Sternes, der den lustigen Namen Proxima Centauri trägt, braucht bereits über vier Jahre, bis es bei uns ankommt.

Die Sterne leuchten auch am Tag. Aber unser allernächster Stern, die Sonne, strahlt dann so hell, dass wir die anderen Sterne nicht sehen können.

Gerdt von Bassewitz

Die Sternenwiese

Auf der Sternenwiese wohnt das Sandmännchen, das eine sehr wichtige Persönlichkeit im Himmelsraum ist und viele Ämter hat.

Es muss den Sternen Unterricht im Singen geben, und es muss aufpassen, dass sie am Tage, wenn sie noch nicht am Himmel stehn, ihre Strahlen ordentlich putzen.

Lauter kleine, silberhaarige Mädchen sind die Sterne.

Jedes Kind auf der Erde hat sein Sternchen. Und wenn das Kind nicht artig war, wenn es Kuchen stibitzt hat, oder wenn es gar gelogen hat, so entstehen auf der schönen Strahlenkrone seines Sternenmädchens hässliche Flecken, sie verbiegt sich, oder sie bekommt Scharten.

Dann muss das kleine Sternchen putzen mit seinem goldenen Putzläppchen und sich mühen in der Sternenschule auf der Wiese, damit das Krönchen wieder blank und hell wird zur Nacht.

Das ist oft furchtbar schwer, und die kleinen Sternchen seufzen dabei vor Mühe. Manchmal weinen sie sogar, denn das Sandmännchen ist sehr streng und lässt es ihnen nicht durchgehen, wenn auch nur das kleinste Fleckchen noch da ist.

Meistens aber sind sie fröhlich und oft gar schrecklich ausgelassen; besonders im Winter, wenn Weihnachten nicht mehr weit ist. Dann hat das Sandmännchen Mühe, Ordnung zu halten; so viel lachen sie.

Manchmal lachen sie über die Mondschäfchen, die am Tage in dem Stall auf dem kleinen Hügel wohnen und Purzelbäumchen schießen; manchmal über die Himmelsziegen, die so komisch meckern; manchmal lachen sie auch über gar nichts und so laut, dass man es beinahe auf der Erde hören könnte. Das darf natürlich nicht sein.

Dann haut das Sandmännchen auf die Pauke, sie bekommen einen Schreck und sind stille, wie die Fischchen im See; aber nicht sehr lange.

So geht es auf der Sternenwiese zu, wenn auf der Erde Tag ist. Wenn aber der Abend kommt, wenn die Sonne auf der Erde untergeht, dann stellt sich der Sandmann feierlich vor sein Pult, alle Sternchen setzen ihre Kronen aufs Haar und sehen andächtig zu ihm auf. Er wendet im goldenen Mondbuch auf dem Pult feierlich eine Seite um und schreibt hinein, was die Kinder auf Erden am letzten Tag Gutes getan haben. Er weiß alles, denn die Sternchen merken es an ihren Strahlenkronen. Ist dies geschehen, so setzt er sein großes, silbernes Sandsiegel unter die Schrift, zwinkert ernsthaft mit seinen kugelrunden, freundlichen Äugelchen und zieht an der Glockenschnur.

In dem selben Augenblick läutet es leise über den ganzen Himmel hin von ungezählten Glöckchen. Zu dieser Musik aber huschen alle Sternenmädchen von der Wiese fort und an den Himmel. Dort stehen sie dann für die Nacht als winzige Lichtpünktchen, jedes an seinem Platz. Sandmännchen aber läuft zu seinem Fernrohr und guckt, ob sie auch alle richtig stehen; denn manchmal verirrt sich eins ein wenig an dem großen, dunklen Himmel; besonders den kleinen passiert das leicht. Manchmal rücken sie auch heimlich ein bisschen zusammen, weil sie sich noch was zu erzählen haben. Sie tuscheln und kichern nämlich ebenso gern miteinander wie die kleinen Mädchen auf der Erde. Das ist natürlich nicht erlaubt, und Sandmännchen hält streng darauf, dass so etwas nicht einreißt am Himmel.

Ja, das Sandmännchen hat wirklich sehr viel zu tun; besonders am Abend!

Wenn die Sternchen am Himmel stehen, muss es die Mondschäfchen aus dem Stall lassen, damit sie in der Nacht auf die Himmelsweide kommen. Das ist auch ein tüchtiges Stück Arbeit.

Vergnügt sind die nämlich und fürchterlich ausgelassen! Sie purzeln mit ihren silbernen Fellchen wie kleine Kullerbällchen durcheinander, und bis sie schließlich ruhig auf der Weide oben am Himmel das schöne Sternschnuppengemüse grasen, vergeht eine ganze Zeit. Auch dann noch muss das Sandmännchen aufpassen, dass sie nicht etwa heimlich den Kometenkohl oder die Himmelschoten anknabbern, die dort zwar wachsen, aber den Schäfchen verboten sind, weil die Nachtfee sie braucht, wenn sie ihre großen Mitternachtsessen gibt, zu denen die mächtigen Naturkräfte eingeladen werden.

Sind die Mondschäfchen ordentlich auf die Weide gebracht, so ist noch eine ganz besonders wichtige Angelegenheit zu erledigen.

Es steht auf der Sternenwiese neben der großen Pauke ein kugelrundes Säckchen, und aus diesem Säckchen schüttet der Sandmann einen feinen Silbersand in ein langes Pusterohr.

Dann geht er gravitätisch nach den vier Himmelsrichtungen an den Rand der Wiese, beugt sich weit über das Gitter und bläst den leuchtenden Staub viermal in den Himmelsraum hinaus.

Der Staub aber verteilt sich ganz, ganz fein und rieselt durch die Luft herab auf die Erde mit dem Licht des Mondes zusammen. Überall dort, wo Kinderaugen aus dem Bettchen in die Luft gucken, fliegt dieser silberne Sand aus Sandmännchens Pusterohr herum und legt sich leise auf die Augenlider. Die werden müde und schwer davon; man muss sie zumachen und schläft ein. So schickt das Sandmännchen den Kindern den Schlaf und auch die schönen Träume.

Hoffmann von Fallersleben

Wer hat die schönsten Schäfchen

2. Er kommt am späten Abend,
wenn alles schlafen will,
hervor aus seinem Hause
zum Himmel leis und still.

3. Dann weidet er die Schäfchen
auf seiner blauen Flur,
denn all die weißen Sterne
sind seine Schäfchen nur.

4. Sie tun sich nichts zu Leide,
hat eins das andre gern,
sind Schwester und sind Brüder
da oben Stern an Stern.

Dorothée Kreusch-Jacob

Das Wolkenschäfchen

Siehst du am Himmel den Mondmann in seinem weiten, wehenden Gewand aus Licht? Er mäht das Gras im Mondtal. Seine Sichel blitzt. Um ihn herum weiden die Mondschafe. Jedes von ihnen hat einen kleinen Stern am Hals hängen, damit es nicht verloren geht am dunklen Nachthimmel. Der Mondmann muss gut auf seine Schäfchen aufpassen, nicht immer weiden sie so brav auf der Mondwiese. Manchmal rennen sie auch um die großen grauen Wolken herum, oder springen eines nach dem anderen von Wolke zu Wolke.

Eines Abends jedoch passiert es: Beim Wolkenhüpfen verliert das kleinste Schäfchen seinen Stern. Es kann gerade noch erkennen, wie er hinunter auf die Erde fällt und einen langen Schweif aus Licht hinter sich herzieht. „Eine Sternschnuppe!", jubelt ein Menschenkind, das gerade am Fenster steht.

Aber das Wolkenschäfchen ist untröstlich. Ohne seinen kleinen Stern kann es sich am Nachthimmel nicht zurechtfinden. Es läuft zum Mondmann. „Was soll ich tun?", weint es. Der Mondmann legt seine silberne Sichel ins Gras und denkt nach. „Hm", sagt er, „wir könnten den Wind bitten, er soll uns beide auf der großen Wolke zur Milchstraße pusten. Dort hole ich dir wieder einen kleinen Stern, damit du nicht verloren gehst."

Willst du dem Wind helfen und mitpusten? Dann atme tief ein, lass deinen Atem ausströmen und puste und puste ...

Du pustest, bis der Mondmann und sein Schäfchen in der Milchstraße angekommen sind. Dort blitzen Tausende und Abertausende von Sternen. Nun holt der Mondmann einen davon und hängt ihn dem Schäfchen um den Hals. Dann schweben beide auf der Wolke wieder zurück zur Herde.

Was aber ist aus dem Stern geworden, der auf die Erde gefallen ist? Stell dir vor: Er sitzt auf deiner Nase und funkelt in allen Farben. Siehst du ihn?

Was ist eine Sternschnuppe?

Hast du schon mal einen Stern vom Himmel fallen sehen? Manchmal kannst du im Sommer ein helles, weißes Licht über den Nachthimmel flitzen sehen. Eine Sternschnuppe! Schnell, jetzt darfst du dir etwas wünschen! Dein Wunsch geht aber nur in Erfüllung, wenn du ihn niemandem weitererzählst.

Eine Sternschnuppe ist allerdings in Wirklichkeit gar kein Stern. Neben unserer Erde, dem Mond und den anderen Planeten gibt es im Weltall auch viele kleine Steinchen. Manchmal fällt eines dieser Steinchen auf die Erde herunter. Die Steinchen sind sehr schnell und werden bei ihrer rasanten Fahrt immer wärmer. Die Luft um sie herum wird schließlich so heiß, dass sie zu leuchten beginnt. Dann sehen wir eine Sternschnuppe. Die meisten Sternschnuppen gibt es im Monat August. Schau doch mal, wie viele du entdeckst. Und vergiss nicht, dir bei jeder Sternschnuppe etwas zu wünschen!

Christian Morgenstern

Das Mondschaf

Das Mondschaf steht auf weiter Flur.
Es harrt und harrt der großen Schur.
Das Mondschaf.

Das Mondschaf rupft sich einen Halm
und geht dann heim auf seine Alm.
Das Mondschaf.

Das Mondschaf spricht zu sich im Traum:
„Ich bin des Weltalls dunkler Raum."
Das Mondschaf.

Das Mondschaf liegt am Morgen tot.
Sein Leib ist weiß, die Sonn ist rot.
Das Mondschaf.

Walther Hohenester

Da nahm der Mond sein Pfeifchen

Der Mond hatte sein Pfeifchen geputzt, frischen Tabak hineingestopft und den Tabak mit einer Sternschnuppe angezündet.

Jetzt setzte er sich auf eine Wolke und segelte über den Himmel. Denn er wollte den Wettermann besuchen.

„Reisen macht Spaß“, sagte er zu sich selbst, „es bildet und man lernt immer wieder etwas Neues dazu!“

Beim Wettermann angekommen, sprang der Mond von seiner Wolke und klopfte an des Wettermanns Tür.

„Ich wünsche dir einen schönen guten Abend“, grüßte er freundlich.

„Heiter bis wolkig!“, murmelte der Wettermann. „Nachtfröste! Kaltfront von Norden! Hitze und Trockenheit!“

„Wie meinst du?“

„Anhaltendes Regenwetter, sonnig und heiß, Gewitterbildung!“

Der Mond stopfte den Tabak in seinem Pfeifchen ein klein wenig fester.

„Du sprichst so wunderlich“, staunte er, „ich verstehe kein Wort!“

Der Wettermann sah zerstreut auf seinen Gast. „Unten reden sie so!“, erklärte er. „Es ist die Sprache der Wetterleute.“

„Wie wird das Wetter morgen?“, wollte der Mond wissen.

„Es regnet!“

„Und übermorgen?“

„Auch!“

Der Mond machte ein trauriges Gesicht.

„Nachts wird es klar“, sagte der Wettermann, „alle Wolken lösen sich auf.“

„Wirklich?“ Der Mond war gleich wieder vergnügt. „Bei klaren Nächten“, erzählte er, „kommen die Leute aus ihren Häusern und machen Gedichte auf mich!“

„Gedichte?“

„Jawohl! Und Lieder! Sie singen die Lieder, wenn sie abends unter der Linde sitzen.“

Der Wettermann lachte grimmig. „Unter der Linde!“, höhnte er. „Sie hocken im Zimmer. Sie starren in den Glotzkasten!“

„Du lügst!“

Gleichmütig klappte der Wettermann sein dickes Buch zusammen.

„Wann hast du das letzte Mal hinuntergeschaut?“

Der Mond gab keine Antwort. Er klopfte die Asche aus seinem Pfeifchen, fing sich eine Sternschnuppe und zündete sein Pfeifchen noch einmal an.

„Und die Verliebten?“, sagte er. „Sitzen sie nicht mehr im Park und freuen sich über mein mildes, silbriges Licht?“

„Sie gehen ins Kino!“

„Und wenn sie sich trennen müssen? Wenn einer von ihnen fort muss, in eine fremde Stadt?“ Der Mond paffte die allerletzten Wölkchen aus seiner Pfeife. „Dann schauen sie sehnsüchtig zu mir hinauf, nicht wahr? Weil sie wissen, dass ihre Blicke sich oben begegnen, oben bei mir!“

Behutsam legte der Wettermann sein Buch zur Seite.

„Azorenhoch!“ seufzte er. „Und Islandtief! Es tut mir wirklich Leid! Aber die Menschen sind schrecklich! Sie telefonieren, verstehst du. Sie schreiben sich nicht einmal mehr einen Brief!“

„Weißt du das genau?“

„Ich weiß es ganz genau.“

„Und man kann nichts daran ändern?“

„Nichts!“

Da nahm der Mond sein Pfeifchen, still und betrübt, und ging langsam wieder nach Hause.

Und dachte nicht daran, wie viele, viele Kinder sich freuen, wenn er nachts zu ihnen ins Zimmer schaut.

Wie weit ist es bis zum Mond?

Der Mond ist weit von unserer Erde entfernt. Deshalb sieht er am Himmel auch so klein aus. Alle anderen Planeten und vor allem die Sterne sind sogar noch viel weiter entfernt.

Wie lange es wohl dauert bis zum Mond zu reisen? Mit einem sehr schnellen Auto würdest du es nicht einmal in den Sommerferien schaffen. Fast drei Monate müsstest du Tag und Nacht fahren, um den Mond zu erreichen. Zum Mond fliegt man am besten mit einer Mondrakete. Natürlich gibt es unterwegs keine Tankstelle. Deswegen sind die Mondraketen riesengroß und bestehen fast nur aus Treibstofftanks. Mit ihnen konnten die Astronauten in wenigen Tagen den Mond erreichen.

Walther Hohenester

Felix, der Astronaut

Felix zog sich die Motorradjacke seines großen Bruders an, stülpte sich den Sturzhelm über den Kopf und hockte sich rittlings auf den umgekippten Papierkorb. Schon war die Rakete startklar. Im letzten Augenblick schlüpfte Mathias, sein bester Freund, durch die Tür, mit Taucherbrille und Boxhandschuhen, hockte sich auf den Pilotensitz und los ging die Reise.

Sie flogen zum „Unbekannten Planeten", den noch keines Menschen Auge gesehen hatte. Fünf Tage waren sie unterwegs, und Zeit und Raum verschmolzen ineinander, und um sie herum war schwärzeste Nacht.

Bevor sie auf dem „Unbekannten Planeten" landeten, sandten sie einen Funkspruch zur Erde. Die Wissenschaftler zu Hause wunderten sich sehr, denn noch niemand hatte es gewagt, auf XX 12, so hieß der Planet, zu landen.

Sanft und völlig geräuschlos setzte die Rakete auf. Felix öffnete die Luke, ein prüfender Blick in die Runde, und sie kletterten nach unten. Vorsichtig tappten sie ein paar Schritte vorwärts, glitten in ihren Raumanzügen über den schwarzen, rissigen Grund. Seltsame Gestalten segelten an ihnen vorbei. Riesige Spinnen und gewaltige Kraken, bläulich schimmernde Elefanten, gelb schillernde Krokodile.

Sie meldeten jede Einzelheit, die sie sahen, zur Erde.

Da entdeckten sie das Monster. Dick und schwammig, schwarz und zähnebleckend stand es vor ihnen.

„Wir fliehen!“ schrie Mathias.

Aber Felix war der kühnste Astronaut aller Zeiten.

„Terra Y an Erde! Terra Y an Erde!“, sprach er ungerührt in sein Sprechgerät. „Monster gesichtet! Was sollen wir tun?“

Den Wissenschaftlern in der Bodenstation standen die Haare zu Berge. Auf ihren Bildschirmen konnten sie jede Einzelheit

genauestens beobachten, und da sie wussten, wie gefährlich außerirdische Monster waren, gerieten sie völlig außer sich.

„Alarmstufe gelb!“, brüllte Felix.

Jetzt ging das Monster zum Angriff über. Es breitete seine schwabbeligen Arme aus, und Zentimeter für Zentimeter kam es näher. Höhnisch funkelten seine Augen.

„Rette sich, wer kann!“, stammelte Mathias.

„Alarmstufe rot!“, keuchte Felix.

Die Leute auf der Erde wagten nicht mehr zu atmen.

Waren die kühnen Astronauten verloren? Gab es keine Rettung mehr? Felix packte seinen Freund am Arm, und langsam, vorsichtig und behutsam traten sie den Rückzug an. Sie schwebten über den Boden, mitten durch die Kraken und Krokodile hindurch.

Da! Das Monster setzte an zum tödlichen Sprung!

„Henkeltassen essen nie Spinat!“, schrie Felix. „Sauerkraut bleibt ewig Sauerkraut!“

Das Monster hatte dergleichen noch nie gehört. Es warf seine glibbrigen Arme in die Höhe, streckte die glühende Zunge aus dem Maul und sank mausetot in sich zusammen.

In aller Ruhe zogen die beiden Astronauten ihre Kameras aus den Taschen und knipsten das tote Monster von allen Seiten. Dann zogen sie sich ruhig und gemächlich in ihr Raumschiff zurück. Zündeten die Startraketen und zischten hinaus in die schwarze Nacht, Richtung Erde.

Die Wissenschaftler konnten es kaum fassen: XX 12 war in ihrer Hand, das Monster erledigt, und die beiden Helden gesund und munter auf der Heimreise. Jubelnd lagen sie sich in den Armen. „Henkeltassen essen nie Spinat!“ Wie verrückt klopften sie sich auf die Schultern. „Sauerkraut bleibt ewig Sauerkraut!“

Felix und Mathias aber schwebten weiter durch die Finsternis, vorbei an Venus und Mars, vorbei am Mond und an der Straßenlaterne vor ihrem Haus. Kletterten aus ihrer Rakete und tranken ein Gläschen Limo.

Beinahe hätten sie vergessen, Sturzhelm und Boxhandschuhe auszuziehen.

Warum ist der Himmel blau?

Hast du schon mal einen Regenbogen gesehen? In bunten Farben leuchtet er am Himmel. Auf der einen Seite blau, dann grün, dann gelb, dann rot. Als hätte jemand mit Buntstiften den Himmel angemalt. Und wer war das? Die Sonne! In ihren Lichtstrahlen sind alle Farben versteckt.

Auch ohne Regenbogen hat der Himmel eine Farbe: Bei schönem Wetter ist er leuchtend blau. Und wieder ist es die Sonne, die mit ihrem Licht den Himmel färbt. Allerdings braucht sie dazu die Luft. Unsere Erde ist von einer dicken Lufthülle eingewickelt. Und die Luft ganz weit oben macht aus dem Sonnenlicht einen besonderen Regenbogen, von dem wir nur die blaue Farbe sehen. Abends, wenn die Sonne dann untergeht, siehst du die andere Seite des Luftregenbogens. Der Himmel wird erst gelb und dann glühend rot.

Volkslied

Laterne, Laterne

La – ter – ne, La – ter – ne, Son – ne, Mond und

Ster – ne. Bren – ne auf, mein Licht,

a – ber nur mei – ne lie – be La – ter – ne nicht.

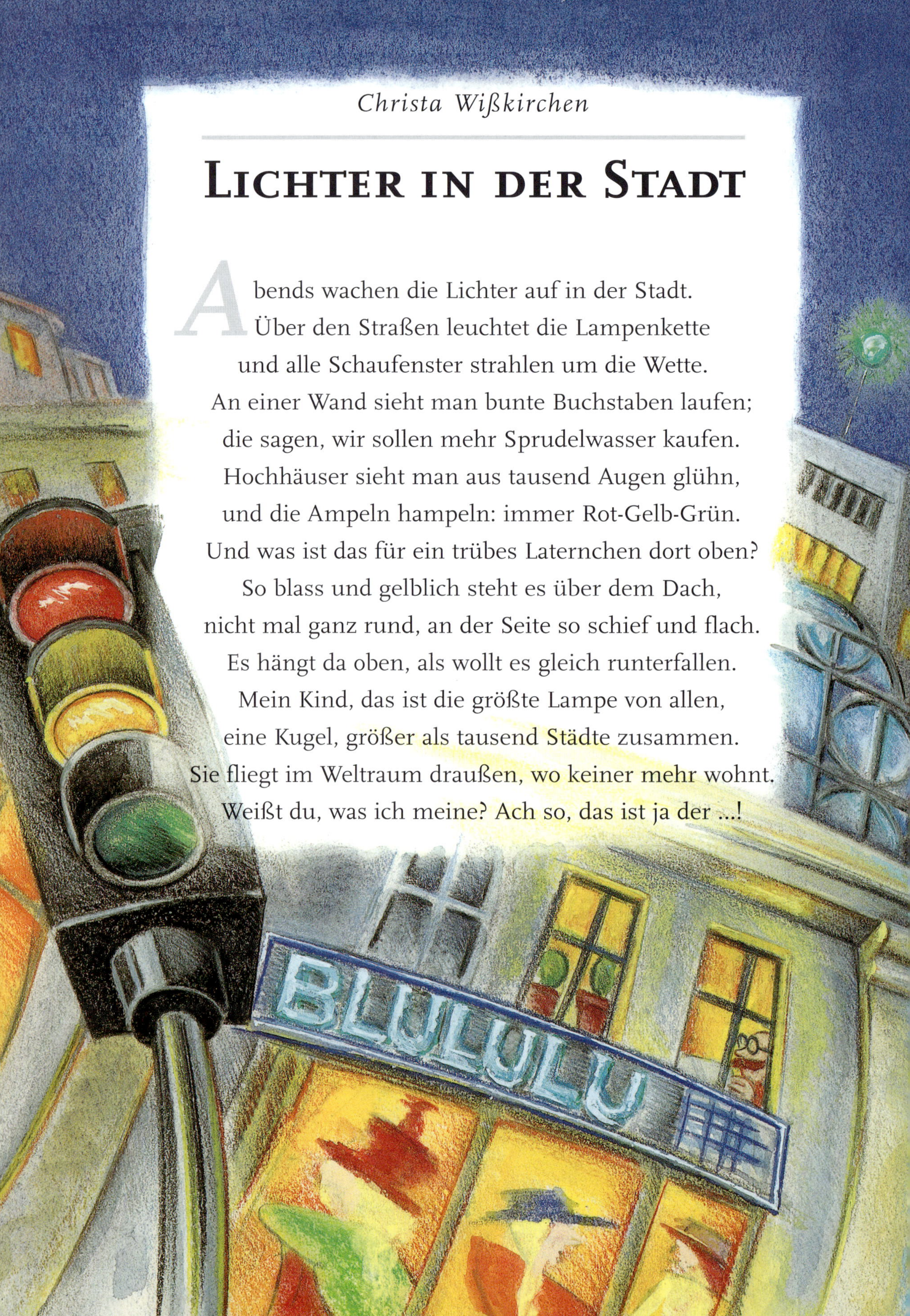

Christa Wißkirchen

Lichter in der Stadt

Abends wachen die Lichter auf in der Stadt.
Über den Straßen leuchtet die Lampenkette
und alle Schaufenster strahlen um die Wette.
An einer Wand sieht man bunte Buchstaben laufen;
die sagen, wir sollen mehr Sprudelwasser kaufen.
Hochhäuser sieht man aus tausend Augen glühn,
und die Ampeln hampeln: immer Rot-Gelb-Grün.
Und was ist das für ein trübes Laternchen dort oben?
So blass und gelblich steht es über dem Dach,
nicht mal ganz rund, an der Seite so schief und flach.
Es hängt da oben, als wollt es gleich runterfallen.
Mein Kind, das ist die größte Lampe von allen,
eine Kugel, größer als tausend Städte zusammen.
Sie fliegt im Weltraum draußen, wo keiner mehr wohnt.
Weißt du, was ich meine? Ach so, das ist ja der ...!

Ludwig Bechstein

Der Mann im Mond

Vor uralten Zeiten ging einmal ein Mann am lieben Sonntagmorgen in den Wald, haute sich Holz ab, ein großmächtiges Reisigbündel, band es, steckte einen Staffelstock hinein, huckte das Bündel auf und trug es nach Hause zu.

Da begegnete ihm unterwegs ein hübscher Mann in Sonntagskleidern, der wollte wohl in die Kirche gehen, blieb stehen, redete den Reisigträger an und sagte: „Weißt du nicht, dass auf Erden Sonntag ist, an welchem Tage der liebe Gott ruhte, als er die Welt und alle Tiere und Menschen geschaffen?

Weißt du nicht, dass geschrieben steht im dritten Gebot, du sollst den Feiertag heiligen?" Der Fragende aber war der liebe Gott selbst; jener Holzhauer jedoch war ganz verstockt und antwortete: „Sonntag auf Erden oder Mondtag im Himmel, was geht das mich an, und was geht es dich an?"

„So sollst du dein Reisigbündel tragen ewiglich!", sprach der liebe Gott, „und weil der Sonntag auf Erden dir so gar unwert ist, so sollst du fürder ewigen Mondtag haben, und im Mond stehen, ein Warnungsbild für die, welche den Sonntag mit der Arbeit schänden!"

Von der Zeit an steht im Mond immer noch der Mann mit dem Holzbündel, und wird wohl auch so stehen bleiben bis in alle Ewigkeit.

Hat der Mond ein Gesicht?

Manchmal kannst du nachts am dunklen Himmel den silbernen Mond leuchten sehen. Groß und rund hängt er wie ein Lampion zwischen den Sternen. Wenn du genau hinschaust, wirst du auf dem Mond dunkle Flecken entdecken. Es sieht fast so aus, als ob sich der Mond nicht richtig gewaschen hätte. Oder hat der Mond etwa ein Gesicht? Oben sind zwei dunkle Augen, darunter die Nase und der Mund. Kannst du das Gesicht sehen oder ist es vielleicht eher ein kleines Männchen oder gar ein Hase?

Mit ihren Fernrohren haben die Sternbeobachter herausgefunden, dass das „Gesicht“ des Mondes große dunkle Landschaften sind. Astronauten sind mit ihren Raketen auf dem Mond gelandet und haben alles genau untersucht. Auf dem Mond gibt es viel dunklen Staub und eine Menge große Felsbrocken. Von der Erde aus sieht das so aus, wie ein Mann im Mond.

Matthias Claudius • Melodie: Johannes A. Schulz

Der Mond ist aufgegangen

2. Wie ist die Welt so stille
und in der Dämmrung Hülle
so traulich und so hold,
als eine stille Kammer,
wo ihr des Tages Jammer
verschlafen und vergessen sollt!

3. Seht ihr den Mond dort stehen?
Er ist nur halb zu sehen
und ist doch rund und schön.
So sind wohl manche Sachen,
die wir getrost belachen,
weil unsre Augen sie nicht sehn.

4. So legt euch denn, ihr Brüder,
in Gottes Namen nieder!
Kalt ist der Abendhauch.
Verschon uns, Gott, mit Strafen
und lass uns ruhig schlafen!
Und unsern kranken Nachbarn auch!

Walther Hohenester

Da blies der Mond sein Lämpchen aus

Es ist Zeit", sagte der Mond, „sich wieder einmal umzusehen." Er nahm sein Lämpchen, setzte sich auf einen Regenbogen und schwebte zur Erde hinab.

Er wanderte über das Land, an Wäldern vorbei und Seen und kam schließlich in ein kleines Dorf.

Im Vorgarten eines Hauses stand ein Mann und putzte sein Auto.

„Guten Abend, ich bin der Mond", sagte der Mond.

„Die Winterreifen fehlen noch", antwortete der Mann, „aber sonst ist alles tipptopp in Ordnung." Liebevoll polierte er die Kühlerhaube.

„Kein einziges Fleckchen Rost!"

Der Mond spiegelte sich in dem glänzenden Lack. Er betrachtete sich von allen Seiten und fand sich todschick und sehr stattlich. Aber der Mann hatte nur Augen für sein Auto.

Wie ein Kobold rannte er herum, entfernte hier ein unsichtbares Fleckchen, dort ein winziges Stäubchen, hauchte auf das Blech und war blind für alles, was nicht zu seinem Wägelchen gehörte.

Zum Schluss legte er sich flach auf den Boden, kroch unter sein Heiligtum und nur noch die Beine schauten heraus.

Verstört ging der Mond weiter. Er kannte die Autos wohl, er

sah sie jede Nacht über die Straßen huschen. Aber sich selbst fand er viel, viel schöner.

„Guten Abend, ich bin der Mond", sagte der Mond, als er einer Frau begegnete, die eilig über den Weg hastete.

„Ich brauche keine Laternen", erwiderte die Frau.

„Aber wieso?", stotterte der Mond.

„Eine sehr originelle Idee, sich als Lampion zu verkleiden", meinte die Frau. „Aber ich kaufe nie etwas auf der Straße." Damit verschwand sie und ließ den Mond einfach stehen.

Der Mond war zutiefst beleidigt. Er setzte sich auf eine Bank, sein Lämpchen auf dem Schoß. Ob er wieder zu seinen Wolken zurückkehren sollte?

Da schlurfte eine Gestalt an ihm vorbei, mit einem Schal um den Hals und mit einem Bleistift in der Hand.

„Guten Abend", sagte der Mond.

„Ah! Der Mond!", sagte die Gestalt. „Sehr erfreut!"

Der Mond war glücklich, dass man ihn endlich erkannte.

„Wer sind Sie?", wollte er wissen.

„Ich bin ein Dichter."

„Oh!"

Der Dichter steckte sich den Bleistift hinters Ohr.

„Wie gut, dass ich Sie treffe", sagte er. Ich arbeite gerade an einem Gedicht über Sie."

„Über mich?" Der Mond war gerührt.

„Darf ich es hören?"

Der Dichter zog ein Stück Papier aus der Tasche, faltete es auseinander, räusperte sich und las:

Der Mond zieht still auf seiner Bahn,
er leuchtet in der Nacht.
Er leuchtet über Fluss und Tal,
wir lieben unsern Mond.

„Es reimt sich noch nicht so ganz“, meinte der Dichter verlegen.

„Aber es ist auch noch nicht ganz fertig.“

„Das macht nichts“, sagte der Mond. „Es ist wunderschön! Darf ich es noch einmal hören?“

Zum zweiten Mal las der Dichter sein Werk. Der Mond war selig. Er reichte dem Dichter die Hand und schwebte überglücklich die Straße hinunter.

„Er leuchtet über Fluss und Tal, wir lieben unsern Mond“, flüsterte er. Lautlos glitt er dahin.

„Da sind Sie ja!“ Eine barsche Stimme schreckte ihn aus seinen Träumen. „Ich suche Sie schon seit Stunden!“

„Sie suchen mich?“

„Unerhört, sich einfach aus seiner Bahn zu entfernen!“

Mitten auf dem flachen Dach seines Hauses stand ein Mann vor einem enormen Fernrohr, das drohend in die Finsternis starrte.

„Ich wollte mich umsehen“, entschuldigte sich der Mond. Verwirrt stellte er sein Lämpchen auf den Boden.

Der Mann ging zu einem großen Kasten, drückte auf bunte Knöpfe und der Kasten begann wie wild zu rattern und zu scheppern.

„Ich bin Wissenschaftler“, knurrte der Mann.

Er wartete, bis der Kasten ausgerattert hatte, dann betrachtete er angestrengt einen länglichen Zettel, den ihm sein merkwürdiger Gehilfe vor die Füße gespuckt hatte.

„Wieso sind Sie eigentlich rund?“

„Wie bitte?“

„Sie müssten viereckig sein.“

Der Mond hustete.

„Es könnte natürlich – verstehen Sie, manchmal täuscht sich mein alter Freund.“ Und der Wissenschaftler begann wieder auf seine Knöpfe zu drücken. Es heulte und tobte, und ein gewaltiger Bandwurm aus Papier kringelte sich um den Mond.

„Wenn es richtig ist, was mein alter Freund zusammengerechnet hat", wisperte der Wissenschaftler, „dann habe ich eben die tollste Entdeckung aller Zeiten gemacht: Der Mond ist viereckig!"

Und wieder drückte er auf die Knöpfe, er schien seinen Besucher völlig vergessen zu haben.

Da blies der Mond sein Lämpchen aus und es wurde stockdunkel.

„Grüßen Sie Ihren Freund", sagte er zu dem Wissenschaftler.

Er sprang in die Luft und flog in die Nacht.

Und er beschloss, sich nie mehr auf der Erde blicken zu lassen.

„Viereckig", knurrte er, „viereckig!"

Ich würde mal nachschauen, ob's stimmt!

Wie sieht der Mond von hinten aus?

Bestimmt hast du schon einmal in einer Vollmondnacht zum Himmel hinaufgeschaut und den Mond betrachtet. Sieht er nicht aus wie eine flache Scheibe, die am Himmel aufgehängt wurde? In Wirklichkeit ist der Mond aber rund wie ein Ball.

Von der Erde aus kannst du immer nur eine Seite des Mondes sehen. Möchtest du wissen, wie er auf der anderen Seite aussieht.

Lange Zeit blieb die Rückseite des Mondes für die Menschen ein Geheimnis. Erst seit Raumsonden rund um den Mond geflogen sind, hat hat man etwas über „den Po“ des Mondes erfahren. Heute wissen wir: Der Mond sieht von hinten gar nicht so viel anders aus als von vorne. Auch auf der Rückseite gibt es sehr viel Staub und viele Krater.

Theodor Storm

Der kleine Häwelmann

Es war einmal ein kleiner Junge, der hieß Häwelmann. Des Nachts schlief er in einem Rollenbett und auch des Nachmittags, wenn er müde war; wenn er aber nicht müde war, so musste seine Mutter ihn darin in der Stube umherfahren, und davon konnte er nie genug bekommen. Nun lag der kleine Häwelmann eines Nachts in seinem Rollenbett und konnte nicht einschlafen; die Mutter aber schlief schon lange neben ihm in ihrem großen Himmelbett.

„Mutter", rief der kleine Häwelmann, „ich will fahren!" Und die Mutter langte im Schlaf mit dem Arm aus dem Bett und rollte die kleine Bettstelle hin und her, und wenn ihr der Arm müde werden wollte, so rief der kleine Häwelmann: „Mehr, mehr!", und dann ging das Rollen wieder von vorne an. Endlich aber schlief sie gänzlich ein; und so viel Häwelmann auch schreien mochte, sie hörte es nicht; es war rein vorbei. Da dauerte es nicht lange, so sah der Mond in die Fensterscheiben, der gute alte Mond, und was er da sah, war so possierlich, dass er sich erst mit seinem Pelzärmel über das Gesicht fuhr, um sich die Augen auszuwischen; so etwas hatte der alte Mond all sein Lebtag nicht gesehen:

Da lag der kleine Häwelmann mit offenen Augen in seinem Rollenbett und hielt das eine Beinchen wie einen Mastbaum in die Höhe. Sein kleines Hemd hatte er ausgezogen und hing es wie ein Segel an seiner kleinen Zehe auf; dann nahm er ein

Hemdzipfelchen in jede Hand und fing mit beiden Backen an zu blasen. Und allmählich, leise, leise, fing es an zu rollen, über den Fußboden, dann die Wand hinauf, dann kopfüber die Decke entlang und dann die andere Wand wieder hinunter.

„Mehr, mehr!“, schrie Häwelmann, als er wieder auf dem Boden war; und dann blies er wieder seine Backen auf, und dann ging es wieder kopfüber und kopfunter. Es war ein großes Glück für den kleinen Häwelmann, dass es gerade Nacht war und die Erde auf dem Kopf stand; sonst hätte er sich doch zu leicht den Hals brechen können. Als er dreimal die Reise gemacht hatte, guckte der Mond ihm plötzlich ins Gesicht. „Junge“, sagte er, „hast du noch nicht genug?“

„Nein“, schrie Häwelmann, „mehr, mehr! Mach mir die Tür auf! Ich will durch die Stadt fahren; alle Menschen sollen mich fahren sehen.“

„Das kann ich nicht“, sagte der gute Mond; aber er ließ einen langen Strahl durch das Schlüsselloch fallen; und darauf fuhr der kleine Häwelmann zum Hause hinaus.

Auf der Straße war es ganz still und einsam. Die hohen Häuser standen im hellen Mondschein und glotzten mit ihren schwarzen Fenstern recht dumm in die Stadt hinaus; aber die Menschen waren nirgends zu sehen.

Es rasselte recht, als der kleine Häwelmann in seinem Rollenbett über das Straßenpflaster fuhr; und der gute Mond ging immer neben ihm und leuchtete. So fuhren sie Straßen aus, Straßen ein; aber die Menschen waren nirgends zu sehen. Als sie bei der Kirche vorbeikamen, da krähte auf einmal der große goldene Hahn auf dem Glockenturm. Sie hielten still.

„Was machst du da?“, rief der kleine Häwelmann hinauf.

„Ich krähe zum ersten Mal!“, rief der goldene Hahn herunter.

„Wo sind denn die Menschen?“, rief der kleine Häwelmann hinauf.

„Die schlafen“, rief der goldene Hahn herunter, „wenn ich zum dritten Mal krähe, wacht der erste Mensch auf.“

„Das dauert mir zu lange“, sagte Häwelmann, „ich will in den Wald fahren, alle Tiere sollen mich fahren sehen!“

„Junge“, sagte der gute alte Mond, „hast du noch nicht genug?“

„Nein“, schrie Häwelmann, „mehr, mehr! Leuchte, alter Mond, leuchte!“

Und damit blies er die Backen auf, und der gute alte Mond leuchtete, und so fuhren sie zum Stadttor hinaus und übers Feld und in den dunklen Wald hinein. Der gute Mond hatte große Mühe, zwischen den vielen Bäumen durchzukommen; mitunter war er ein ganzes Stück zurück, aber er holte den kleinen Häwelmann doch immer wieder ein.

Im Walde war es still und einsam; die Tiere waren nicht zu sehen; weder die Hirsche noch die Hasen, auch nicht die kleinen Mäuse. So fuhren sie immer weiter, durch Tannen- und Buchenwälder, bergauf und bergab. Der gute Mond ging nebenher und leuchtete in alle Büsche; aber die Tiere waren nicht zu sehen; nur eine kleine Katze saß oben in einem Eichbaum und funkelte mit den Augen. Da hielten sie still.

„Das ist der kleine Hinze!“, sagte Häwelmann, „ich kenne ihn wohl; er will die Sterne nachmachen.“

Und als sie weiterfuhren, sprang die kleine Katze mit von Baum zu Baum.

„Was machst du da?“, rief der kleine Häwelmann hinauf.

„Ich illuminiere!“, rief die kleine Katze herunter.

„Wo sind denn die anderen Tiere?“, rief der kleine Häwelmann hinauf.

„Die schlafen!“, rief die kleine Katze herunter und sprang wieder einen Baum weiter; „horch nur, wie sie schnarchen!“

„Junge“, sagte der gute alte Mond, „hast du noch nicht genug?“

„Nein“, schrie Häwelmann, „mehr, mehr! Leuchte, alter Mond, leuchte“, und dann blies er die Backen auf, und der gute alte Mond leuchtete; und so fuhren sie zum Walde hinaus und dann über die Heide bis ans Ende der Welt, und gerade in den Himmel hinein.

Hier war es lustig; alle Sterne waren wach und hatten die Augen auf und funkelten, dass der ganze Himmel blitzte.

„Platz da!“, schrie Häwelmann und fuhr in den hellen Haufen hinein, dass die Sterne links und rechts vor Angst vom Himmel fielen.

„Junge“, sagte der gute alte Mond, „hast du noch nicht genug?“

„Nein“, schrie der kleine Häwelmann, „mehr, mehr!“, und – hast du nicht gesehen! – fuhr er dem guten alten Mond quer über die Nase, dass er ganz dunkelbraun im Gesicht wurde.

„Pfui!“, sagte der Mond und nieste dreimal, „alles mit Maßen!“, und damit putzte er seine Laterne aus, und alle Sterne machten die Augen zu. Da wurde es im ganzen Himmel auf einmal so dunkel, dass man es ordentlich mit Händen greifen konnte.

„Leuchte, alter Mond, leuchte!“, schrie Häwelmann, aber der Mond war nirgends zu sehen und auch die Sterne nicht; sie waren schon alle zu Bett gegangen. Da fürchtete der kleine Häwelmann sich sehr, weil er so allein im Himmel war. Er nahm seine Hemdzipfelchen in die Hände und blies die Backen auf; aber er wusste weder aus noch ein, er fuhr kreuz und quer, hin und her, und niemand sah ihn fahren, weder die Menschen noch die Tiere, noch auch die lieben Sterne.

Da guckte endlich unten, ganz unten am Himmelsrande ein rotes rundes Gesicht zu ihm herauf, und der kleine Häwelmann meinte, der Mond sei wieder aufgegangen.

„Leuchte, alter Mond, leuchte!“, rief er, und dann blies er wieder die Backen auf und fuhr quer durch den ganzen Himmel und gerade darauf los. Es war aber die Sonne, die gerade aus dem Meere heraufkam.

„Junge“, rief sie und sah ihm mit ihren glühenden Augen ins Gesicht, „was machst du hier in meinem Himmel? Und – eins, zwei drei! nahm sie den kleinen Häwelmann und warf ihn mitten in das große Wasser. Da konnte er schwimmen lernen. Und dann? Ja und dann? Weißt du nicht mehr? Wenn ich und du nicht gekommen wären und den kleinen Häwelmann in unser Boot genommen hätten, so hätte er doch leicht ertrinken können!

Warum ist der Mond nicht immer rund?

Wenn der Mond am Himmel steht, ist er mal dick und rund und dann plötzlich wieder ganz dünn. Manchmal sieht er aus wie ein Pfannkuchen und manchmal wie eine schmale Sichel. Und manchmal kann man den Mond nachts gar nicht sehen. Er verschwindet für kurze Zeit und taucht dann plötzlich wieder am Himmel auf.

Die verschiedenen Formen des Mondes nennt man Mondphasen. Mondphasen gibt es, weil der Mond um die Erde herum wandert. Während dieser Reise wird er immer von der Sonne angeleuchtet. Und je nachdem, an welcher Stelle der Wanderung der Mond sich gerade befindet, erscheint er von der Erde aus mal dünner und mal dicker.

Christa Wißkirchen

DER MONDKALENDER

Weißt du was:
Der Regen ist nass,
der Mond nimmt zu,
sag Muh wie die Kuh!

Stell dir vor:
Man hört mit dem Ohr,
der Mond ist halb,
du guckst wie ein Kalb.

Lass dir sagen:
Am Hals ist der Kragen,
der Mond ist rund,
jetzt halt mal den Mund!

Hör mal zu:
Ein Paar sind zwei Schuh,
der Mond wird dünner,
und du bist ein Spinner.

Glaube mir:
Ein Mensch ist kein Tier,
der Mond ist aus,
jetzt scher dich nach Haus!

Theodor Fontane

Am Abend

Sinkt der Tag
in Abendgluten,
schwimmt das Tal
in Nebelfluten.

Heimlich
Aus der Himmelsferne
Blinken schon
die goldnen Sterne.

Flieg zum Nest
Und schwimm zum Hafen!
Gute Nacht!
Die Welt will schlafen!

Gerdt von Bassewitz

Das Schloss der Nachtfee

In einem gewaltigen Saal ihres Schlosses empfing die Nachtfee ihre Gäste zum Mitternachts-Kaffeeklatsch.

Himmelhohe, silberne Säulen trugen eine ungeheure Wolkenkuppel, von wehenden Nebeln wie von zarten Fahnen umschwebt. Der Boden war aus tiefblauem Kristall, so durchsichtig wie das Wasser des Meeres, wenn es ganz still liegt. Durch weite Eingänge zwischen den Säulen sah die Nacht herein, und in ihrer Unendlichkeit schwebten gleich großen Blumen Tausende von Wölkchen und gaben ein zauberzartes Licht.

Das Schönste aber war der Thron der Nachtfee in der Mitte des Saales. Aus einem einzigen, grünen Edelstein waren seine Stufen geschnitten, aus Perlen war der Sitz, die Lehne aus Silber, und sieben blaue Sterne funkelten leise darüber in der Luft. Zu beiden Seiten dieses wunderschönen Thrones standen Reihen von silbernen Stühlen für die Gäste, die erwartet wurden.

Die Nachtfee saß auf ihrem Thron, als die Mitternacht nahte, eine leuchtende Mondsichel im schwarzen Haar, mit ihrem Königsmantel angetan. Neben ihr standen zwei Sternenmädchen in ihren Silberkleidern; durch die Nacht des Hintergrundes aber zog ununterbrochen eine Kette winziger singender Sternenkinder.

Die ganz, ganz kleinen waren es, die noch nicht beim Sandmännchen in die Sternenschule gingen, weil sie noch keine

Kinder auf der Erde zu beschützen hatten. Darum hatten sie auch noch kein Plätzchen am Himmel, von dem aus sie des Nachts auf die Erde hätten blicken und wachen müssen.

Aber wunderschön singen konnten sie schon!

Plötzlich klangen zwölf tiefe Glockenschläge durch den Raum; die Nachtfee erhob sich von ihrem Thron, breitete die Arme aus und sagte mit einer weichen, von Wohlklang wunderlieben Stimme:

„Mitternacht! – Die Welt schlief ein;
Frieden, Frieden soll über ihr sein!"

Mit tausendfachem Echo nahm der Himmelsraum diesen Segensspruch auf. Von fernen Chören gesungen klang es, immer weiter, immer leiser:

„Frieden, Frieden soll über ihr sein!"

Dann wurde es ganz still.

Still setzte sich die Fee wieder auf ihren Thron, und ein gütiges Lächeln lag über ihrem blassen, edlen Antlitz.

Eine Zeit lang war tiefes Schweigen ringsum, dann aber hörte man fernes Gerumpel, das immer stärker wurde und schließlich als gewaltiger Donner heranbrüllte.

Gleich darauf sprang mit einem schmetternden Schlage der **Donnermann** aus den Wolken am Eingang; der erste der geladenen Gäste.

Er hatte einen mächtigen Paukenklöppel in der Faust, schlug sich damit auf den Bauch, verneigte sich vor der Nachtfee und brüllte:

„Zum Donnerwetter, da bin ich gekommen!
Habe mir keine Zeit genommen;
Bin gleich, weil du mich geladen hast,
Auf meiner Pauke hierher gerast.

Mein Weib, die Blitzhexe, lässt dir sagen,
Sie hätte noch schnell mal wo einzuschlagen
Und käme dann hinterher geritten;
Derweil zu grüßen lässt sie bitten!

Potz – Himmel – Bomben – Donnerwetter!
Unterwegs überholte ich meinen Vetter,
Den Hagelhans; er muss gleich kommen;
Hat ein graues Wolkenschiff genommen,
Hat ein Loch an der Mondsichel ins Segel geschnitten;
Lässt derweil durch mich um Entschuldigung bitten.

Potz – Krach – Blitz – Donner – Bombenschlag –
Ich bin hier und sage dir guten Tag!“

Während er dies sprach, donnerte es immerfort, so dass die kleinen Sternenmädchen neben dem Thron der Nachtfee ordentlich Herzklopfen bekamen. Aber der Donnermann war gar nicht böse dabei; er lachte und verzog lustig den Mund von einem Ohr bis zum andern.

Die Nachtfee neigte ihr schönes Haupt zum Gruß gegen den wilden Mann und meinte mit freundlichem Lächeln, er solle nur nicht gar so viel donnern, damit die Sternenkinder keine Angst bekämen.

Nun war der gutmütige Donnermann ganz verlegen und bullerte leise eine Entschuldigung. Es war nämlich wirklich nicht so einfach für ihn, sich das Donnern zu verkneifen; besonders wenn er sich freute.

Da summte und pfiff es in der Luft, und der zweite Gast kam, die **Windliese**.

Auf einem Besen ritt sie, sprang vor dem Thron der Nachtfee ab und, während sie immerfort Knickse machte und im Kreise herumlief, rief sie mit einer pfeifenden Stimme:

„Hui – Hui – Sumsiselsei!
Komm' schnell auf meinem Besen herbei,
Hab' tausend Meilen zurückgelegt,
Bin über Wiesen und Wälder gefegt,
Hab' an allen Türen und Fenstern gerüttelt,
Hunderttausend Kirschen von den Bäumen geschüttelt.
Haha – hoho – huhu – sieh – sieh!
Die Windliese ist hie, die Windliese ist hie!"

Die Nachtfee reichte ihr freundlich die Hand, und, während sich die Windliese mit dem Donnermann begrüßte – die beiden waren natürlich sehr befreundet –, kam schon der dritte Gast herein.

Es war die dicke **Wolkenfrau**.

Sie sah aus wie ein Luftballon oder wie eine große Kaffeekanne; sehr, sehr komisch. Ihr Gesicht war wie ein Bratapfel so rund und auch so freundlich.

Mit sehr gemütlichen, langsamen Bewegungen kam sie bis dicht an den Thron der Nachtfee, wippte mit ihrem aufgeplusterten Kleid einen komischen Begrüßungsknicks und sagte mit weicher, molliger Stimme:

„Wie geht es am Himmel?
Wie geht's auf dem Mond?
Ich finde, dass es sich immer noch lohnt,
Liebe Nachtfee, Sie zum Kaffee zu besuchen;
Sie haben ausgezeichneten Fladenkuchen.
Ich hoffe nur, dass die Sonne, das Biest,
Nicht etwa auch geladen ist;
Hat mir neulich wieder durchs Kleid gebrochen
Und mich mit ihren Strahlen zerstochen."

Die Nachtfee dankte für den Gruß der Wolkenbase und wies ihr den Platz neben dem Donnermann und der Windliese.

Freilich, die Sonne war auch eingeladen; das erforderte die Sitte und Höflichkeit. Aber die Wolkenfrau beruhigte sich darüber, da sie neben dem Donnermann und der Windliese sitzen konnte, mit denen sie selbstverständlich in dicker Freundschaft lebte.

Plötzlich zuckte es schwefelgelb durch den Raum und herein fuhr die **Blitzhexe** auf einem toten Baumast.

Im gleichen Augenblick sprang der Donnermann mit einem fürchterlichen Donner von seinem Sitz, umarmte sein Weib und tanzte mit ihr eine Weile im Saal herum. Sie machten dabei ein sehr gräuliches Getöse und einen schauderhaften Schwefelgestank. Ihre Freude war so groß, dass sie sich nicht beherrschen konnten. Die Nachtfee hielt sich die Nase zu, so schlecht roch es.

Dann ließ die Blitzhexe den Donnermann los, lief in Zickzacklinien vor den Thron und schrie mit schriller Stimme:

„Sirrr – sirrr – liebe Base – da ist der Blitz!
Zerschlug nur noch schnell eine Kirchturmspitz;

Hatte Auftrag, musst' ihn erledigen schnell;
Sirrr – sirrr – krakacks – bin ich zur Stell'!"

Die Nachtfee verneigte sich und bat die Blitzhexe freundlich, etwas weniger Schwefelduft zu verbreiten, da dies ihren Sternenkindern und auch noch anderen von den geladenen Herrschaften nicht gesund sei; zum Beispiel dem Taumariechen, der Morgenröte und der Abendröte.

Der Donnermann machte einen Witz um den anderen zur Wolkenfrau über die zimperlichen Frauenzimmer am Morgen- und Abendhimmel, die Blitzhexe aber knickste eckig und schrie dazu:

„Sirrr – will mich beherrschen! Hoffe, es glückt;
Wenn's mich auch drängt und zwackt und jückt,
den köstlichen Feuerduft zu verbreiten,
Sirrr – sirrr – das sind ja nur Kleinigkeiten!"

Dann zuckte sie in Zickzacklinien durch den Saal und setzte sich dem Donnermann auf den Schoß.

Ein leises Regenrauschen wurde nun hörbar, und eine sehr sonderbare Erscheinung trat vor den Thron; der **Regenfritz**. Schön war der Regenfritz nicht. So dünn wie ein Lineal war er. Langes, verwaschen blondes Haar hing ihm strähnig über die Triefaugen und die rote, spitze Schnupfennase. Einen mächtigen Regenschirm hatte er zugeklappt unter dem Arm, und sein langer Rock war patschnass von Wasser. Wo er stand, bildete sich sofort auf dem Boden eine Pfütze.

Er machte eine linkische Verbeugung vor der Nachtfee, zog seinen alten, triefenden Zylinder und sagte mit einer ölig flötenden, melancholischen Greinstimme:

„Drüppelü – tüp – tüp – liebe Fee der Nacht,
Sie haben mir gütige Einladung gemacht.
Ich bin gerne gekommen – tüp – top – tü – ti!
War ein weiter Ritt auf dem Parapluie.
Hab' zwar im Mai sehr wenig zu tun,
Hin und wieder mal drüppeln, meist muss ich ruhn;
Hab's aber eben noch erreicht
Und fünfzig neue Kleider milde durchweicht,
An siebzehn Stellen sanft durch die Decke geregnet,

Tische, Stühle und Betten mit Pfützen gesegnet,
Zwölf Landpartien freundlich berieselt,
Zweihundert Kinderchen haben's mit Schnupfen
beniesselt;
Dreizehn Handwerksburschen, bis aufs Hemd,
Habe ich liebevoll durchschwemmt. –
Nun ja, man muss eben zufrieden sein,
Der Mai ist trocken, die Arbeit klein."

Die Nachtfee ermahnte diesen seltsamen Gast, nachdem sie ihn begrüßt hatte, auf der Erde nicht nur Possen und Unsinn zu treiben, sondern auch Gutes zu tun und die Gärten und Felder ordentlich zu begießen. Und dann bat sie ihn, hier in ihrem Saal das Regnen ein wenig zu unterdrücken und keine Pfützen zu rieseln.

Der Regenfritz versprach's und setzte sich zur Wolkenfrau.

Seit einiger Zeit hatte man schon ein fernes Brausen gehört, das immer näher heranschwoll.

Plötzlich flatterten alle Schleier und Nebelfahnen im Saal, die Wolkenwände bewegten sich leise, denn der **Sturmriese** fuhr in den Raum, schwarz und riesengroß, mit ungeheuren, den Boden fegenden Flügeln.

In seiner Faust hielt er einen abgerissenen Eichenast; den schwenkte er zum Willkommen und brüllte, während sein mächtiger Bart wie eine schwarze Wolke um ihn her wehte:

„Puh – da bin ich! – Komme vom Ozean!
Schnallte meine schnellsten Flügel an!
Bin wie der Teufel durch die Luft gesaust,
Durch Gebirg und Urwald herangebraust!
Ließ auf dem Flug mir keine Zeit,
Weil Ihre Einladung mich furchtbar freut!
Habe nicht Wind- noch Wasserhose angezogen;
Sie müssen verzeihen, bin so geflogen!“

Er hatte wirklich gar nichts an; nicht einmal den neuen Wüstenwirbelwetterhut oder die Föhnstiefel. Darum musste er sich jetzt hinter die Wolkenfrau setzen, nachdem er mit vielem Getöse den Donnermann, die Blitzhexe und die Windliese, sein Weib, begrüßt hatte.

Nun kamen die drei Eisgeschwister.

Als erster der **Hagelhans** mit seiner riesigen Trommel. Er hatte ein blaues Gesicht und kugelrunde, glashelle Augen, in denen grüne Funken brannten. Sein Haar war weiß wie Schnee, und seine Uniform blitzend von Hagelperlen. Als er eintrat, wurde es kühl, und der Regenfritz fing an zu niesen. Er konnte den Hagelhans nicht besonders leiden, weil der ihm immer beim Begießen ins Handwerk pfuschte.

Der Hagelhans klappte vor dem Thron der Nachtfee militärisch mit den Hacken, schlug einen Wirbel zur Begrüßung auf seiner Trommel und schnarrte mit einer Stimme, die wie das Rasseln von Eisenketten klang:

„Klirrrr – der Hagelhans ist zur Stelle!
Hat viel zu tun in der Mittagshelle;
Muss in den heißen Frühlingstagen
Die Ehre des Winters zu Ansehn tragen!

Tut's gern, ist ihm eine dienstliche Pflicht,
Kennt Mitleid mit Blumen und Saaten nicht,
Zerschmettert all den albernen Kram,
Wo er ihm in die Marschrichtung kam;

Schießt mit tausend Flinten zu gleicher Zeit,
Trifft sicher, ist gegen alles gefeit;
Kennt kein sanftsäuselndes Betragen,
Hat immer alles kurz und klein geschlagen;
Ist gründlich in seinem Dienstrevier;
Nachts hat er Urlaub – jetzt ist er hier!"

Die Nachtfee liebte zwar die Arbeit dieses strengen Herrn nicht besonders; aber, da er zu den Eisgeschwistern gehörte und ein vornehmer Himmelsfürst war, lud sie ihn stets zu ihren Festen und grüßte ihn auch jetzt mit höflichem Verneigen.

Kaum hatte er auf seinem Stuhl neben dem Sturmriesen Platz genommen, so kam seine Schwester **Frau Holle** herein.

Rundlich und weiß von oben bis unten war sie und sah eigentlich aus wie ein großes, wandelndes Bett mit zwei dicken, weichen Pantoffelfüßen.

Immerfort ging ihr ein weißer Nebel vom Munde, besonders, wenn sie gähnte; und sie gähnte nämlich schrecklich viel, weil sie müde war, denn im Frühling schlief sie sonst meistens.

Nun verneigte sie sich vor der Nachtfee und sagte ihren Gruß. Dabei stiebten ihr dichte Flocken aus den Röcken. Man verstand auch, was sie sprach, aber eigentlich war es lautlos gehaucht:

„Frau Holle ist da! – Frau Holle ist da!
Hab's beinah verschlafen, Frau Nachtfee – jaja!
Ich halte schon meine Sommerruhe
Am Nordpol. – Meine Bettentruhe
Ist sorgsam vor der Sonne verschlossen;
Sie hat unverschämt mit Strahlen geschossen.
Ich musste tief in das Eisschloss fliehen,
Um mich nicht zu verbrühen, ja ja, zu verbrühen!

Dort schlief ich wie sieben Murmeltiere.
Weckt' ein Sternchen mich und brachte mir Ihre
Einladung zu dem großen Empfang.
Besten Dank, liebe Base, besten Dank, besten Dank!"

Und wieder knickste sie, und wieder stob ihr eine Wolke von Schneeflocken aus den Röcken.

Die Nachtfee reichte ihr die Hand und sagte, dass es Schlagsahne auf Eis geben würde. Das aß Frau Holle schrecklich gern, und höchst vergnügt segelte sie zu ihrem Stuhl neben dem Hagelhans.

Da kam auch schon der **Eismax** heran, der dritte der Eisgeschwister.

Mit klirrenden Sporen und tausend klingenden, funkelnden Eiskristallen an seiner Montur schritt er zum Thron.

Er schlug die Sporen zusammen, grüßte militärisch vor der Nachtfee und schnarrte:

„Jnädigste Nachtfee, melde jehorsamst zur Stelle!
Jereist mit jletscherhafter Schnelle.
Zwar für mich unjewöhnliche Zeit;
Aber doch eisbärenmäßig jefreut!
Wo alle sich zum Empfang einstellen,
Darf Eismax selbstverständlich nich fehlen.
Bitte erjebenst, eines nur:
Etwas jekühlte Temperatur!
Und die Sonne, das jreuliche Weib,
Mir nich so nahe uff'n Leib.

Kann die Person durchaus nich vertragen,
Krije Triefaugen und weichen Kragen,
Janzer Anzug schlägt Jammerfalten,
Kann Monokel nich mehr halten.
Unausstehlich! ... Na, überhaupt,
Denke, dass mir das jeder glaubt!“

Nachdem die Nachtfee ihm versichert hatte, dass er kühl und luftig, weitab von der Sonne sitzen solle, klirrte er salutierend wieder mit den Sporen und legte ein blitzendes Eisblumensträußchen auf die Thronstufen.

Dann ging er von Platz zu Platz, machte den Anwesenden seine ritterliche Verbeugung und setzte sich schließlich,

nachdem er sich auch den hübschen Sternenmädchen am Thron der Nachtfee vorgestellt hatte, auf die andere Seite der Frau Holle.

Jetzt quakte und patschelte es draußen: Der **Wassermann** kam nämlich angeschlurft.

Für den war es gewiss eine weite Fahrt gewesen.

Er sah auch sehr angestrengt aus, als er nun auf seinen breiten Entenfüßen hereinwatschelte und mit den großen Glotzaugen herumstierte wie der Karpfen-Ururgroßpapa auf dem Seegrund. Wenn der Wassermann nicht im Wasser hockte, war er nämlich ein wenig kurzsichtig, und so wurde es ihm schwer, sich zurechtzufinden in dem großen Saal.

Als er aber entdeckt hatte, wer da war, schlenkerte er zur Begrüßung die langen Froscharme nach allen Seiten, riss sein breites Maul auf und quakte:

„Putsch – patsch – blubber – quax!
Putsch – patsch – blubber – quax!
Guten Tax allerseits – guten Tax – guten Tax! –
War 'ne weite, beschwerliche Fahrt – noaaaaaa!
Bin aber – blubber – blubber – trotzdem da.

Bin gefahren – uax – auf dem Muschelschiff,
Vom Grunde des Meeres – uax –, wo ich schlief.
Meine Seejungfern tanzten am Ufer Reigen,
Spielten Schlickversteckens und Blasensteigen;
Haben mir in einer großen Blase
Die Einladung gebracht, Frau Base.
War mir – blubber – blubber – sehr schmeichelhaft,
Hab' mir neue – uax – Wasserhosen angeschafft.
Aber ich bitte, vor allen Dingen,
Mich – uax – uax – wässerig unterzubringen.
In der Luft ist es sehr unangenehm!"

In jeder Hand hatte er einen großen Schwamm; den drückte er sich dabei über den Kopf aus, um es wenigstens etwas feucht zu haben.

Die Nachtfee aber hatte für alles gesorgt, und so stand für den Wassermann eine große, silberne Badewanne bereit. In die kroch er nun auf die Einladung der Nachtfee, vergnügt grunzend, hinein.

Außerdem kam noch ein liebliches Sternenmädchen mit einer gläsernen Gießkanne auf den Wink der Nachtfee herbei und begoss den dicken Wasserfürsten unermüdlich. Das gefiel ihm! Er quiekte und quakte wie ein grünes Schweinchen vor Vergnügen.

Da hörte man leise Harfentöne, und herein kam das **Taumariechen**; ein blasses, dunkelhaariges Mädchen, von Silberschleiern und Perlen umfunkelt. Sie trug eine Trinkschale in ihren kleinen Händen, die aus einem einzigen Diamanten geschnitten war. Die Harfentöne klangen bei jedem ihrer Schritte in der Luft, wie fallende Tropfen.

Vor dem Thron kniete sie mit unbeschreiblicher Anmut nieder, neigte ihr Köpfchen leise und sagte mit silberner Stimme:

„Liebe Mutter, ich habe für diese Nacht,
Deinem Willen gehorsam, mein Werk vollbracht;
Alle dürstenden Gräser und Blüten erquickt,
Alle schlafenden Wälder mit Perlen geschmückt;
Hing in Gärten viel Kettlein an Zweig und Baum,
Gab den grünen Büschen den Tropfensaum,
Füllte mit segnender Frische die Luft,
Strich auf Blätter und Früchte den silbernen Duft;
Hab' alle bunten Wiesen leicht gekühlt,
Mit den Nebeln über dem See gespielt;

Hab' der Morgenröte das Land geschmückt,
Und alle Wesen im Traum erquickt. –
Küss mich nun, Mutter, mein Werk ward schön,
Und lass mich in deine Augen sehn."

Damit eilte sie in die Arme der Nachtfee, die ihr mit einem leisen, zärtlichen Kuss den Scheitel berührte. Dann setzte sich das Taumariechen auf die Stufen des Thrones, das liebliche Köpfchen ans Knie der Mutter geschmiegt.

Bis zu diesem Augenblick war in dem großen Saal ein Dämmerlicht gewesen, in dem die silbernen Säulen gleich Mondstrahlen zwischen den blauen Wolken schimmerten; nur bei der Ankunft der Blitzhexe, des Regenfritzen und der Frau Holle hatte sich dies milde Traumlicht, das vom Haupt der Nachtfee auszugehen schien, für Augenblicke ein wenig geändert. Jetzt plötzlich flog goldener Schein in diese Dämmerung, und durch die weite Nacht her kam eine rauschende, ferne, wundermächtige Musik.

Die Nachtfee erhob sich auf ihrem Thron; die **Sonne** nahte, die Königin des Tages, die ihr gleich war an Rang und Ansehen. Alle Gäste erhoben sich mit ihr von den Sitzen, denn, obschon sie die Sonne zum Teil nicht leiden konnten, mussten sie ihr doch, als einer Königin, die schuldige Ehrfurcht bezeigen.

Da schwoll die Musik heran, wie ein wachsender Sturm. Die Wolken teilten sich, und in einem Strom von goldenem Licht schwebte die Sonne herein mit ihren Töchtern und Söhnen, der Morgenröte und Abendröte, dem Morgenstern und dem Abendstern.

Wunderschön war die Sonne! Ihre Augen strahlten machtvoll und lieb zugleich. Als ein Mantel von Flammen lag ihr Lockenhaar um sie, und in funkelnden Garben brachen die Lichtstrahlen aus der Krone auf ihrem Haupt. An jeder Hand führte sie einen ihrer Söhne, die Schleppe ihres goldenen Kleides aber trugen ihre lieblichen Töchter.

So stand die Sonne der Nachtfee gegenüber, und der Saal war voll von ihrem Licht.

Langsam kam die Nachtfee von ihrem Thron herab der Sonne entgegen. Auf ihrem schwarzen Haar schimmerte die blasse Mondkrone. Sie breitete ihre Arme weit aus und grüßte die Sonne mit ihrer glockenschönen Stimme:

„Willkommen mir, Schwester, Königin!“

Da neigte die Sonne ihr Haupt leise vor der Majestät der Nacht; dann hob sie es leuchtend und sprach:

„Der Gruß meiner Liebe sei dir gebracht,
Du schöne Schwester, du stille Nacht!
Sind unsre Reiche auch ewig geschieden;
Mein ist die Arbeit, dein ist der Frieden;
Schlingen wir doch um die Guten und Bösen
Den einen Reigen und segnen die Wesen,
Die auf der wundertiefen Welt
Liebe in prunkendes Leben gestellt.“

Und dann umarmten sich die beiden Königinnen.

Als die Nachtfee die Sonne umschlang, ging alle Glut unter in blauen Nebeln, und tiefe Dämmerung sank in den Raum; und als die Sonne ihre Arme um die Schultern der Nachtfee legte, leuchteten alle Dinge umher, in ein Meer von Licht gebadet.

Als diese Begrüßung vorüber war, nahmen beide Herrscherinnen auf ihren Sitzen Platz, und auch die anderen Gäste setzten sich wieder. Dabei war es sehr komisch, wie der Eismax hinter den Rock der Wolkenfrau kroch und wie Frau Holle hinter dem Schirm des Regenfritzen hervorschielte.

Jetzt kam aber plötzlich eine sehr sonderbare Gestalt hereingetölpelt: der **Milchstraßenmann**.

Er war anscheinend in großer Wut und gar nicht festlich angezogen, wie sich das gehört hätte. Die Mütze saß ihm schief auf dem Kopfe, seine Mondlederstiefel waren schmutzig, und einen ungekämmten Schnurrbart hatte er auch. Unter dem Arm trug er die große Zwillingsmilchflasche, und an einem Bändchen hinter ihm zottelte der kleine Bär, den er eigentlich hätte draußen lassen müssen, weil er immer schmutzige Pfoten hatte.

Der kleine Bär hütete nämlich die Mondkälber und biss sie in die Beine, wenn sie auf einer falschen Himmelswiese grasen wollten. Jetzt hatte er allerdings einen Maulkorb um.

Die Nachtfee machte ein sehr erstauntes Gesicht über den Milchstraßenmann und wollte ihm etwas darüber sagen, dass er nicht in solchem Aufzuge kommen dürfe; aber der ließ sie gar nicht zu Worte kommen, so aufgeregt war er, und polterte sofort los:

„Frau Nachtfee, ich muss mich bitter beklagen!
Die Gesellschaft, die du geladen hast,
Ist mir derart über die Milchstraße gerast,

Dass sie mir das Pflaster beschädigt haben
Und die Meilensteine, die Bäume, den Graben!
Das ist ein Benehmen, unerhört!“

Natürlich taten die Gäste, als wüssten sie von gar nichts, besonders der Sturmriese und der Donnermann schüttelten ungläubig ihre wilden Köpfe und taten so unschuldig wie kleine weiße Lämmchen.

Aber der Milchstraßenmann schrie:

„Jawohl, ich hab' mich zu Recht beschwert!
Der Sturmriese kommt da mit Saus und Summ
Und wirft mir drei schöne Milchbäume um!
Und die Wolkenfrau, die ist auch so eine;
Hat mir alle meine Meilensteine
Verwischt mit ihren Plusterröcken!
Wenn nun ein Komet geflogen kommt,
So kann er nicht lesen, wie weit es gewesen!
Er verirrt sich, rennt gegen Zäune und Hecken
Und bleibt zuletzt noch im Mondberg stecken!
Dann beschwer ich mich über den Regenfritzen;
Er macht meine Straße voller Pfützen
Und hat mir die schöne Milch verwässert
Mit seiner triefigen Drüppelei!
Es ist eine Schande und Schweinerei!“

Nun wollte sich der Regenfritz auch beschweren:

„Der kleine Bär hat mich aber gebissen,
Tüp, tüp – und mir meine Hosen zerrissen!“

meinte er weinerlich und zeigte ein großmächtiges Loch in seiner neuen Regenhose, die er sich extra zu dem heutigen Besuch beim Wolkenschneider hatte machen lassen.

Ausgelacht wurde er obendrein vom Milchstraßenmann.

Als der Donnermann aber auch lachen wollte, weil das Loch in der Hose des Regenfritzen sehr komisch aussah, fuhr der Milchstraßenmann herum, wie von einer Wespe gestochen; und nun ging's los:

„Der Donnermann braucht hier gar nicht zu lachen
Und sich über die anderen lustig
zu machen!
Er hat sich furchtbar schlecht
betragen,

Hat blödsinnig gebumst und gedonnerkracht
Und die Himmelsziegen mir scheu gemacht!
Das ist ihm nicht aus Versehen passiert;
Er hat sich so vorlaut aufgeführt,
Dass man wirkliche Angst vor dem Bullern bekam!
Und nun erst sein Weib – wie die sich benahm?!
Kam immer so zickzack dahergeschlenkert
Und hat mir die ganze Allee verstänkert!
Ist das ein anständiges Ehepaar?"

Er war ganz außer Atem vor Zorn geraten und sah puterrot im Gesicht aus. Natürlich wollten ihm alle Gäste widersprechen, aber er ließ niemanden zu Worte kommen und tobte weiter:

„Frau Nachtfee, ich schwöre, alles ist wahr!
Sie haben noch viel mehr angerichtet:
Der Hagelhans hat mir die Schoten vernichtet,
Und der Wassermann kam da angeplanscht,
Hat mir alle Gräben übergepanscht,
Hat vier Wiesen am Tausee überschwemmt,
Und ich hatte sie so schön eingedämmt.
Auch der Eismax muss sich bescheidener führen,
Er darf nicht so viel mit den Sporen klirren;
Drei Mondkälbern hat er den Kopf verdreht!
Und Frau Holle hat ein Stück Straße verweht!
Sie tun mir Unrecht zu ihrem Vergnügen,
Frau Nachtfee! Man kann das Lütütü kriegen
Vor Ärger, wenn man es richtig bedenkt! –
Und keiner hat mir ein Trinkgeld geschenkt!"

Weiter konnte er nicht mehr schimpfen; die Stimme schnappte ihm über, und er musste husten, so aufgeregt war er.

Die Nachtfee aber machte ein sehr böses Gesicht, weil der Milchstraßenmann im Recht war; denn es ist gewiss nicht sehr höflich, wenn man eingeladen wird, solchen Unfug auf der Straße zum Schloss des Gastgebers zu machen.

Als die wilden Gäste sahen, wie ernst die Nachtfee wurde, beeilten sie sich sehr, den Milchstraßenmann um Entschuldigung zu bitten, und versicherten ihm alle durcheinander, dass sie den Schaden gern ersetzen würden, wie die Nachtfee es wünschte.

Damit war denn der gute Milchstraßenmann auch beruhigt; besonders ein großes Trinkgeld vom Eismax besänftigte ihn sehr, und er trottete mit dem kleinen Bären zufrieden ab.

Der Ärger des Milchstraßenmannes war wirklich sehr begründet gewesen. Draußen auf der Milchstraße hatte der Brave jetzt nämlich viel zu tun.

Die Unordnung, die alle diese herantobenden Naturgewalten mit ihrem Ungestüm an dem schönen Nachthimmel angerichtet hatten, war sehr groß, und der Nachtfee verantwortlich für die Ordnung dort war der Milchstraßenmann. Es war seine Schuld, wenn auf der Milchstraße nicht alles blitzeblank und gut gefegt war mit dem Himmelsbesen, wenn die Meilensteine nicht richtig funkelten und wenn die Himmelsziegen und Mondkälber den falschen Nachtklee grasten oder gar ein kleines Lämmerwölkchen in die Silberwolle zwickten, dass es an der Stelle trübe Flecken bekam.

Jaja, groß sind die Sorgen des Milchstraßenmannes!

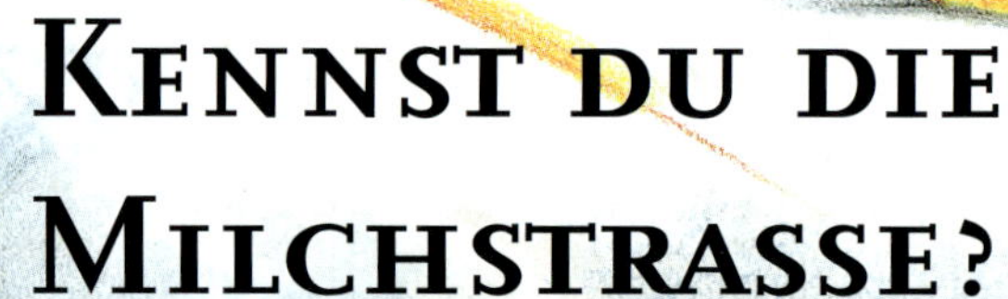

Kennst du die Milchstrasse?

Wenn du nachts die Sterne beobachtest, entdeckst du vielleicht auch ein zart schimmerndes Band, das sich über den ganzen Himmel zieht. Das ist die Milchstraße.

Wie die Milchstraße entstanden ist, berichtet uns eine griechische Sage: Bei den Griechen gab es früher viele Götter. Die Götter wohnten ganz weit oben am Himmel, im Olymp. Natürlich hatten die Götter auch Kinder. Als nun Hera, die Frau des Gottes Zeus, ihren kleinen Sohn fütterte, war dieser so ungeduldig, dass die ganze Milch quer über den Himmel gespritzt ist. So soll die Milchstraße entstanden sein.

In Wirklichkeit besteht die Milchstraße natürlich nicht aus Milch. Nimm doch einmal ein Fernglas und sieh dir damit die Milchstraße an. Na, was entdeckst du? Lauter einzelne Sterne! Was haben sich die alten Griechen denn da für eine komische Geschichte ausgedacht?

Johann Gottfried Herder

Die Sonne und der Wind

Einst stritten sich die Sonne und der Wind, wer von ihnen beiden der stärkere sei, und man ward einig, derjenige solle dafür gelten, der einen Wanderer – den sie eben vor sich sahen – am ersten nötigen würde, seinen Mantel abzulegen.

Sogleich begann der Wind zu stürmen; Regen und Hagelschauer unterstützten ihn. Der arme Wanderer jammerte und klagte; aber immer fester wickelte er sich in seinen Mantel ein und setzte seinen Weg fort, so gut er konnte. Jetzt kam die Reihe an die Sonne. Mit milder und sanfter Glut ließ sie ihre Strahlen herabfallen. Himmel und Erde wurden heiter; die Lüfte erwärmten sich. Der Wanderer vermochte den Mantel nicht länger auf seinen Schultern zu erdulden. Er warf ihn ab und erquickte sich im Schatten eines Baumes, während die Sonne sich ihres Sieges erfreute.

Janosch

Das galaktische Rotkäppchen

Es war einmal eine süße galaktische Dirn, die hatte dort in der Galaxis jedermann galaktisch lieb, am liebsten aber ihre galaktische Großmutter, sie wusste gar nicht, was sie dem galaktischen Kind alles geben sollte.

Einmal schenkte sie ihm ein galaktisches rotes Käppchen von rotem Samt, galaktisch beleuchtet wie ein Kometenstern, nicht zuletzt deswegen, dass sie in den Galaxien weithin sichtbar war und so nicht verloren gehen konnte. Auch damit sie sie besser sehen konnte, wenn die liebe Dirn sich der Erde näherte, wie ein Komet, denn die gute Oma wohnte längst nicht mehr oben in der Galaxis, sondern unten in einem Wald bei Hindelang. Wo die alten Leute in Rente gehen.

Und weil es nun so weithin sichtbar war, war es das „galaktische Rotkäppchen" genannt.

Als nun die gute galaktische Oma einmal galaktisch krank war, sprach des galaktischen Rotkäppchens galaktische Mutter: „Flieg doch einmal her, mein Kind! Hier hast du ein galaktisches Körbchen mit ein wenig galaktischem Kuchen und ein wenig galaktischem Wein und bringe dies zu deiner galaktischen Oma nach Hindelang. Doch komm nicht von der galaktischen Kometenbahn ab, tritt auf keinen Raumkapselmüll, gerate in keine galaktische Satellitenflugbahn und leuchte nicht zu sehr mit deinem galaktischen roten Käppchen, sonst sieht dich der galaktische Wolf. Er ist ein hundsgemeiner Hundsfott, weißt du."

„Alles gehört und verstanden", sprach das galaktische Rotkäppchen und machte sich auf die Socken.

Wohl mag sie alles gehört und verstanden haben, doch achtete sie nicht auf die Worte der Mutter und leuchtete mit ihrem Käppchen weiß der Teufel wie in der Galaxis herum. Und so blieb es auch nicht aus, dass der galaktische Wolf sie durch die ganze Milchstraße auf weite Entfernung hin sehen konnte und ihr in einer Kometenbahn, welche die ihre kreuzte, auflauerte.

Muss gesagt werden, dass er nichts so gern fraß wie junge, galaktisch beleuchtete Dirnen? Nicht anders als unser irdischer Wolf, welcher sowohl die Großmutter als auch die irdischen Rotkäppchen und eigentlich ratzekahl alles frisst.

„Wohin des Wegs, mein liebes Kind?", sprach der galaktische Lumpenhund und setzte sich auf die Kometenbahn neben die galaktische Dirn, begleitete sie ein paar Lichtjahre lang, welche nicht viel länger dauerten als irdische Fünfminuten.

„Zur galaktischen Oma, sie ist krank, ihre galaktischen Batterien sind schwach geworden, ihr galaktischen Wein und galaktischen Kuchen bringen. Die irdische Nahrung taugt nichts für unsereins, ist nicht einmal für Hunde und deren Flöhe genießbar."

„Ich weiß, ich weiß, und das ist brav von dir, meine liebe galaktische Dirn, doch leuchte nicht so sehr mit deiner galaktischen Rotmütze, denn wer zu stark leuchtet, wird zu leicht entdeckt und könnte gefressen werden."

Sagte das, schwang sich scheinbar auf eine andere galaktische Kometenbahn und verschwand. Jedoch nur zum Schein, denn er eilte nach Hindelang.

Klopfte dort bei der galaktischen Oma an, sagte, er sei das galaktische Rotkäppchen. Dieses hatte auf den Rat des galaktischen Wolfes das rote Käppchen abgesetzt und im galaktischen Korb verstaut. So hatte die gute galaktische Oma die gute Dirn aus der Ferne in Hindelang nicht mehr sehen und seine Bahn verfolgen können. Und sie glaubte nun, als der Wolf an ihre Tür klopfte, das galaktische Rotkäppchen sei angelangt, sie habe es nur nicht sehen können. Wolken hätten ihr galaktisches Leuchten verdeckt oder ihre Batterie habe für das Licht nicht mehr gereicht. Sie sagte zum galaktischen Wolf: „Ich sah dich gar nicht kommen, mein galaktisches Enkelkind. Hast du denn dein galaktisches rotes Käppchen gar nicht mehr, welches ich dir gab?"

Der galaktische Wolf ging ohne ein Wort zu sprechen oder gar auf die Frage zu antworten zum Bett der galaktischen Oma und fraß sie auf. Spuckte ein paar Drähte aus und verspeiste die galaktischen Batterien als wohlschmeckenden Nachtisch. Dann zog er sich ihre Kleider an, setzte ihre galaktische Nachthaube auf, legte sich in ihr galaktisches Bett und zog die Vorhänge zu.

Das galaktische Rotkäppchen aber war noch ein wenig zwischen den Sternen herumgestolpert, Sternschnüppchen sammeln, hier und da ein Kometchen pflücken, Fixsternchen zu rupfen für der galaktischen Großmutter ihre galaktische Blumenvase. Dann begab sie sich wieder in ihre Umlaufbahn, welche sie nach Hindelang führte und landete nicht weit weg von Omas galaktischem Waldhaus. Sie wunderte sich, dass die Tür offen stand und dachte: Ei, mein Gott, wie ängstlich ist mir heute doch zumute, dabei bin ich so galaktisch gern bei der galaktischen Oma.

Am liebsten wäre sie umgekehrt. Und hätte sie auf ihre innere Stimme gehört, wäre diese Geschichte anders ausgegangen. Sie aber drückte die Klinke herunter und rief: „Guten Morgen, liebe Großmutter“, ging zu dem Bett, zog den galaktischen Vorhang zur Seite, sagte noch: „Aber was hast du doch für große Augen, Ohren, Pfoten, Zähne und welch einen großen Schwanz, liebe Oma“, bevor sie starb. Weil der galaktische Wolf sie verschlang mit allen ihren galaktischen Drähten, Leitungen, dem galaktischen Körbchen und Omas rotem Leuchtekäppchen. Und wieder aß er ihre jungen galaktischen Batterien als Nachspeise als wären sie Himbeereis.

Nun, was lernen wir aus diesem galaktischen Unsinn, Kinder? Wir lernen, dass wir

a) mit unserem galaktischen roten Käppchen nicht überall in der Galaxis herumleuchten sollen, sonst sieht uns der galaktische Wolf schon von der Ferne und frisst unsere Oma und zuletzt gar uns selbst.

Und b), dass wir nie ohne unsere galaktische Beleuchtung durch die Galaxis wandern, weil unsere Oma uns sonst aus den Augen verliert und nicht merkt, dass wir der Wolf sind, welcher da an ihre Türe klopft.

Kurzum – wir lernen aus diesem Unsinn, dass wir machen können, was wir wollen, es ist immer falsch. Letztlich frisst der galaktische Wolf sowohl unsere Oma als auch uns in jedem Fall. Merkt euch das mal und habt keine Hoffnung, dass ihr ihm entwischt ...

Was ist ein Komet?

Frag doch einmal deine Großmutter, ob sie schon einmal einen Kometen gesehen hat. Kometen sind nur ganz selten am Himmel zu entdecken. Meist dauert es viele Jahre, bis ein Komet auftaucht. Einen Kometen erkennst du an seinem langen Schweif. Wochenlang ist er dann am Nachthimmel zu sehen.

Kometen gehören wie Sonne, Mond und Sterne zu unserem Sonnensystem. Nur sind sie viel kleiner als unser Mond und meistens ganz weit weg. Auf ihrer Reise durch das Sonnensystem kommen die Kometen irgendwann auch bei uns vorbei. Du kannst dir einen Kometen wie einen riesigen, schmutzigen Schneeball vorstellen. Weit draußen im Weltraum ist der Schneeball kalt und hart. Wenn er aber der heißen Sonne nahe kommt, beginnt der Komet zu schmelzen und zieht eine lange Spur hinter sich her. Auf einmal können wir den Kometen am Himmel leuchten sehen!

Brüder Grimm

Die Sterntaler

Es war einmal ein kleines Mädchen, dem waren Vater und Mutter gestorben, und es war so arm, dass es kein Kämmerchen mehr hatte, darin zu wohnen, und kein Bettchen mehr, darin zu schlafen, und endlich gar nichts mehr als die Kleider auf dem Leib und ein Stückchen Brot in der Hand, das ihm ein mitleidiges Herz geschenkt hatte. Es war aber gut und fromm. Und weil es so von aller Welt verlassen war, ging es im Vertrauen auf den lieben Gott hinaus ins Feld. Da begegnete ihm ein armer Mann, der sprach: „Ach, gib mir etwas zu essen, ich bin so hungrig." Es reichte ihm das ganze Stückchen Brot und sagte: „Gott segne dir's", und ging weiter. Da kam ein Kind, das jammerte und sprach: „Es friert mich so an meinem Kopfe, schenk mir etwas, womit ich ihn bedecken kann." Da tat es seine Mütze ab und gab sie ihm. Und als es noch eine Weile gegangen war, kam wieder ein Kind und hatte kein Leibchen an und fror, da gab es ihm seins; und noch weiter, da bat eins um ein Röcklein, das gab es auch von sich hin. Endlich gelangte es in einen Wald, und es war schon dunkel geworden, da kam noch eins und bat um ein Hemdlein und das fromme Mädchen dachte: Es ist dunkle Nacht, da sieht dich niemand, du kannst wohl dein Hemd weggeben. Und wie es so stand und gar nichts mehr hatte, fielen auf einmal die Sterne vom Himmel und waren lauter harte, blanke Taler; und ob es gleich sein Hemdlein weggegeben, so hatte es ein neues an, und das war vom allerfeinsten Linnen. Da sammelte es sich die Taler hinein und war reich für sein Lebtag.

Nach Leo Tolstoi

Die sieben Sterne

Einmal gab es auf der Erde einen besonders heißen Sommer. Die Bäume und Blumen bekamen nicht genug Wasser. Auch die Tiere in Wald und Feld suchten nach Wasser, aber fanden keinen einzigen Tropfen. In diesem heißen Sommer lag eine Mutter schwer krank in ihrem Bett. Sie hatte hohes Fieber und großen Durst. Ihre kleine Tochter war traurig. Sie wollte der armen Mutter helfen. So stand sie eines Nachts auf, nahm einen hölzernen Krug und ging los, um Wasser zu suchen. Aber sie fand nicht einen einzigen Tropfen. Müde legte sie sich ins Gras und schlief ein. Als das Mädchen wach wurde, griff es nach dem Krug. Er war bis zum Rand mit Wasser gefüllt. Aber als das Mädchen einen Schluck trinken wollte, dachte es an seine kranke Mutter. Es nahm den hölzernen Krug und rannte nach Hause. Kurz vor dem Haus sprang ihm ein kleiner Hund über den Weg. Das Mädchen stolperte und der Krug flog im hohen Bogen ins Gras. Als das Mädchen nach dem Krug sah, traute es seinen Augen kaum. Denn der Krug stand auf dem Boden, als wäre er nie gefallen. Nicht ein einziger Tropfen Wasser war verschüttet. Das Hündchen winselte jämmerlich. Da goss sich das Mädchen ein wenig Wasser in die Hand und ließ das Hündchen trinken. Als es wieder nach dem Krug griff, war er nicht mehr aus Holz, sondern aus glänzendem Silber. Das Mädchen ging schnell ins Haus. Aber die Mutter sagte: „Ich möchte das Wasser nicht mehr, denn ich muss bald sterben. Trink du, mein Kind!“ Als sie ihrem

Kind den Krug gab, war dieser aus purem Gold. Das Mädchen hielt es vor Durst nicht mehr aus. Es nahm den Krug und wollte daraus trinken. Da klopfte es an die Tür. Ein Kind stand davor und sagte: „Bitte, gib mir doch etwas zu trinken!“ Das Mädchen gab dem Kind den Krug. Plötzlich glitzerte und funkelte es im ganzen Haus, denn der goldene Krug war mit sieben strahlenden Diamanten besetzt. Aus jedem floss ein großer Wasserstrahl. Die sieben Diamanten aber stiegen höher und höher, bis zum Himmel und wurden zu strahlenden Sternen. Die sieben Sterne leuchten bis zum heutigen Tag am Himmel. Und weil sie aussehen wie ein Wagen, nennen die Menschen die sieben diamantenen Sterne Siebengestirn oder Großer Wagen.

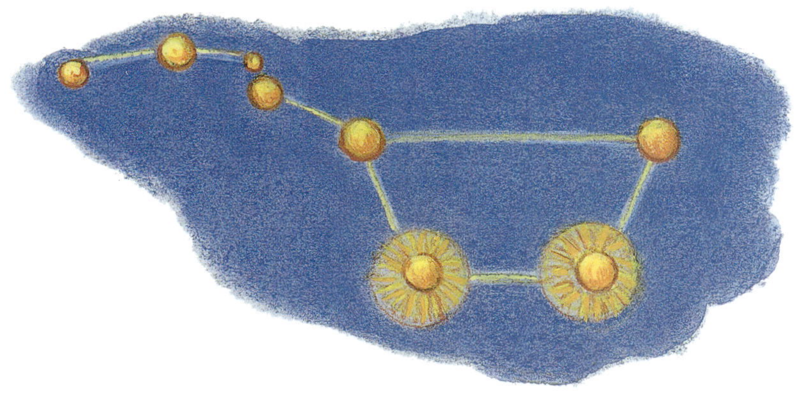

Wie viele Sterne stehen am Himmel?

Was meinst du wohl, wie viele Sterne nachts am Himmel funkeln? Stell dir vor, du hättest einen großen Himmelsstift, mit dem du am Himmel malen kannst. Die besonders hellen Sterne kannst du mit Strichen verbinden. Dabei entstehen Figuren am Himmel. Dieses Spiel haben die Menschen schon vor langer Zeit gespielt. Den ganzen Himmel haben sie mit Figuren bemalt. Das sind die Sternbilder.

Ein Sternbild hast du bestimmt schon mal gesehen: den „Großen Wagen”. Man kann ihn jede Nacht beobachten. Überall auf der Welt haben die Menschen mit diesen sieben hellen Sternen ein Sternbild gemalt. In Amerika heißt der „Große Wagen“ „Große Schöpfkelle“. Und in Frankreich sagen die Leute „Die Bratpfanne“ dazu.

Volksmund

Quatschgedicht

Dunkel war's, der Mond schien helle,
Schnee lag auf der grünen Flur,
als ein Auto blitzeschnelle
langsam um die Ecke fuhr.
Drinnen saßen stehend Leute,
schweigend ins Gespräch vertieft,
als ein totgeschossner Hase
auf der Sandbank Schlittschuh lief.

Und auf einer roten Bank,
die blau angestrichen war,
saß ein blondgelockter Jüngling
mit kohlrabenschwarzem Haar.
Neben ihm 'ne alte Schrulle,
die kaum sechzehn Jahre war.
Diese aß 'ne Butterstulle,
die mit Schmalz bestrichen war.

Michael Grejniec

Wie schmeckt der Mond?

Schon lange wunderten sich die Tiere, wie wohl der Mond schmecke. War er süß? Oder salzig? Nur einen ganz kleinen Happen wollten sie von ihm kosten. Nachts schauten sie sehnsüchtig zu ihm hoch. Sie reckten und streckten ihre Hälse, Beine und Arme, aber nicht einmal dem Größten unter ihnen gelang es, den Mond zu berühren.

Eines Tages entschloss sich die kleine Schildkröte, den höchsten Berg zu erklimmen, und den Mond von da aus zu berühren.

Von hier oben war man dem Mond schon viel näher, aber anfassen konnte ihn die Schildkröte immer noch nicht. Sie rief den Elefanten.

„Wenn du dich auf meinen Rücken stellst, werden wir ihn vielleicht erreichen." Der Mond dachte, es sei ein Spiel. Als der Elefant sich näherte, rückte er ein kleines bisschen höher.

Der Elefant konnte den Mond nicht berühren und rief die Giraffe.

„Wenn du auf meinen Rücken springst, werden wir vielleicht groß genug sein." Der Mond sah die Giraffe und rückte wieder ein bisschen höher. Die Giraffe reckte den Hals so hoch wie möglich, aber vergeblich.

Sie rief das Zebra.

„Wenn du auf meinen Rücken springst, kommen wir vielleicht ganz nah an ihn heran." Dem Mond gefiel das Spiel, er rückte

noch ein bisschen höher. Das Zebra strengte sich riesig an, aber es konnte den Mond nicht berühren. Da rief es den Löwen.

„Wenn du auf meinen Rücken springst, werden wir den Mond wahrscheinlich berühren können.“ Der Mond sah den Löwen und rückte noch ein bisschen höher.

Die Tiere erreichten den Mond nicht, und sie riefen den Fuchs herbei.

„Wenn du auf meinen Rücken springst, müssten wir es schaffen“, sagte der Löwe. Der Mond sah den Fuchs, und er rückte wieder ein bisschen höher. Nun fehlt wirklich nur noch ein kleines

Stück zum Mond, aber er schwebte weiterhin außer Reichweite.

Der Fuchs rief das Äffchen.

„Wenn du dich auf meinen Rücken stellst, wird es sicher gelingen.“ Der Mond sah das Äffchen und rückte ein Stück weg. Das Äffchen konnte den Mond schon riechen, aber nicht berühren. Schließlich rief es die Maus.

„Wenn du auf meinen Rücken kletterst, werden wir beim Mond sein.“ Der Mond sah die Maus und dachte: „So ein kleines Tier, es wird mich sicher nicht erwischen.“ Und da das Spiel ihn schon langweilte, bewegte er sich nicht. Die Maus kletterte auf die Schildkröte, auf den Elefanten, die Giraffe, das Zebra, den Löwen, den Fuchs, das Äffchen und ...

... biss ein Stück Mond ab. Sie kostete es genüsslich. Dann gab sie den Bissen dem Äffchen, dem Fuchs, dem Löwen, dem Zebra, der Giraffe, dem Elefanten und der Schildkröte. Für jeden von ihnen schmeckte der Mond genau nach dem, was jeder am liebsten hatte.

In dieser Nacht schliefen alle ganz nahe beisammen.

Der Fisch hatte alles beobachtet und klappte verständnislos seine Kiemen auf und zu: „Warum haben die sich so angestrengt, um den Mond hoch oben am Himmel zu erreichen? Es gibt doch noch einen anderen Mond, der nicht so weit weg ist: hier unten, bei mir im Wasser.“

Volkslied

Ich gehe mit meiner Laterne

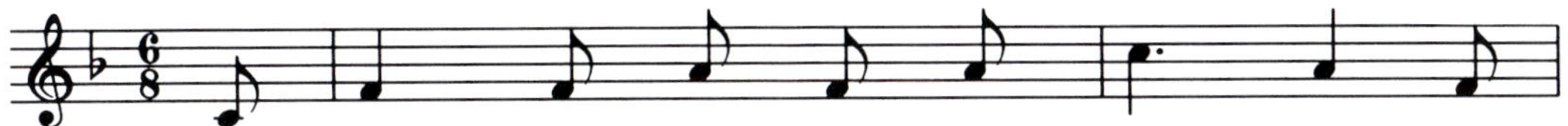

Ich geh' mit mei – ner La – ter – ne und
Am Him – mel leuch – ten die Ster – ne und

mei – ne La – ter – ne mit mir. Mein Licht ist aus, wir
un – ten, da leuch – ten wir.

gehn nach Haus. Ra – bim – mel, ra – bam – mel, ra – bum.

Christa Zeuch

Also tschüss und gute Nacht

Geht ihr jetzt?
Kommt ihr bald?
Kann ich noch was trinken?
Muss noch mal.
Mir ist kalt.
Darf ich euch noch winken?

Lasst die Türe angelehnt.
Bleibt im Flur die Lampe brennen?
Weil – wie soll ich sonst im Dunkeln
meine Armbanduhr erkennen?

Geht ihr jetzt?
Wird es spät?
Setzt euch noch ein bisschen.
Bringt was mit!
Wenn ihr geht,
krieg ich noch ein Küsschen?

Hast du dir die Clowngeschichte,
Papa, selber ausgedacht?
Was ich euch noch sagen wollte:
Also tschüss und gute Nacht.

Geht ihr jetzt?
Fahrt ihr weit?
Wird euch nichts passieren?
Kann ich euch
jederzeit
hertelefonieren?

Was mein Kater Kasimir
heut für spitze Krallen macht!
Er und Bär und Krokodil
halten hinterm Fenster Wacht.

Alles still,
sind sie fort?
So, ich bin alleine.
Ich und Angst?
Ehrenwort,
ich hab wirklich keine.

Wenn es in den Wänden piept,
sind es bloß die Mäuschen.
Knarrt es an den Fensterläden,
streicht der Wind ums Häuschen.

Erwin Grosche

Der Schlafbewacher

Schlafbewacher bewachen den Schlaf von allen, die gerne schlafen.

Der kleine Tobias Rehnhagen wird manchmal geplagt von kleinen, bösen Träumen. Manchmal träumt er, dass es in seinem Schlafzimmer gerade anfängt zu regnen, wenn er am Einschlafen ist.

Hier hilft der Schlafbewacher. Der Schlafbewacher bewacht nicht nur den Schlaf von Tobias Rehnhagen, sondern hält für alle Fälle auch noch einen Regenschirm über den Einschlafenden.

Oma Gersdorfer kann manchmal nicht einschlafen, da sie manchmal vor dem Einschlafen an einen leckeren Wackelpudding mit Vanillesoße denken muss und dann vor Hunger kaum zum Schlafen kommt.

Hier hilft der Schlafbewacher. Der Schlafbewacher bewacht nicht nur den Schlaf von Oma Gersdorfer, sondern kocht ihr auch noch vorher einen leckeren Wackelpudding mit Vanillesoße.

Die kleine Constanze Egebracht schläft nicht gerne ein, wenn nicht ab und zu kleine Geräusche das Schlafzimmer beleben.

Hier hilft der Schlafbewacher. Der Schlafbewacher bewacht nicht nur den Schlaf von der kleinen Constanze Egebracht, sondern summt auch ab und zu ein kleines Lied und lässt alle zwei Stunden zwei wunderschöne Nachtfalter durch das Zimmer flattern.

Manche Beamten schlafen gerne und lange im Büro, gerade während der Arbeitszeiten.

Hier hilft der Schlafbewacher. Der Schlafbewacher bewacht nicht nur den Schlaf von allen Beamten, sondern pfeift auch ganz kurz und schrill, wenn sich der Chef dem müden Treiben nähern sollte.

Eine der Hauptaufgaben der Schlafbewacher ist es, die örtlichen Blaskapellenvereine darin zu unterrichten, wie man zur allgemeinen Schlafenszeit auch leise Musik machen kann. Danach bewacht der Schlafbewacher natürlich auch den Schlaf der örtlichen Blaskapellenvereine.

Das ist ja alles ganz gut und schön, wer aber bewacht den Schlaf von Schlafbewachern? Den Schlaf von Schlafbewachern bewachen Schlafbewacherschlafbewacher, ist doch klar.

Volkslied

Schlaf, Kindlein, schlaf

1. Schlaf, Kind – lein, schlaf! Dein Va – ter hüt' die

Schaf, die Mutter schüt – telt's Bäu – me – lein, da

fällt her – ab ein Träu – me – lein. Schlaf, Kind – lein, schlaf!

2. Schlaf, Kindlein, schlaf!
Am Himmel zieh'n die Schaf.
Die Sterne sind die Lämmerlein,
der Mond, der ist das Schäferlein.
Schlaf, Kindlein, schlaf!

3. Schlaf, Kindlein, schlaf!
So schenk' ich dir ein Schaf
Mit einer goldnen Schelle fein,
das soll dein Spielgeselle sein.
Schlaf, Kindlein, schlaf!

Otfried Preußler

Sechshundertsiebenundachtzig Schafe

Es war einmal ein Schäfer, der zog mit seiner Schafherde über Land, von einem Dorf zum andern. Bei Tag weideten die Schafe auf den Bauernwiesen das Gras ab, und der Schäfer ging langsam hinterher und gab Acht, dass die Tiere brav beisammen blieben.

Von Zeit zu Zeit stopfte er sich eine Pfeife und blies schöne blaue Rauchkringel in die Luft. Zu Mittag trieb er die Herde an einen Wassergraben oder einen Weiher zur Tränke. Dann zog er aus seiner ledernen Hirtentasche ein Stück Schwarzbrot und je nachdem einen Zipfel Pfefferwurst, ein paar Scheiben Speck oder einen Käse. Wenn er gegessen hatte, trank er aus der Feldflasche zwei Schluck Kümmel, breitete an einer windgeschützten Stelle den Mantel aus, legte sich darauf und hielt in aller Seelenruhe sein Mittagsschläfchen. Das konnte er sich ohne weiteres leisten, denn er hatte ja zwei Hunde bei der Herde, den Treff und den Treibauf, die in der Zwischenzeit dafür sorgten, dass keins von seinen sechshundertsiebenundachtzig Schafen verloren ging. Ja, sechshundertsiebenundachtzig Schafe hatte der Schäfer damals, und das sind eine ganze Menge.

Nach dem Mittagsschlaf zog der Schäfer mit seiner Herde weiter. Oft begegneten sie stundenlang keinem Menschen. Aber manchmal kamen sie unterwegs an die Landstraße, und dann mussten alle Fußgänger und Radfahrer, aber auch die Bauern auf ihren Leiterwagen und Zugmaschinen, die Frachter mit den schweren Lastzügen, die Omnibusse, die Personenwagen und sogar die feinen Herrschaften in den funkelnagelneuen Zweisitzern warten, bis der Schäfer mit seinen Hunden und allen sechshundertsiebenundachtzig Schafen die Landstraße überquert hatte.

Da wurden die Leute oft ungeduldig und riefen dem Schäfer zu: „Mann Gottes, geht das nicht ein bisschen schneller? Du hast wohl sehr viel Zeit?“ Dann nickte der Schäfer freundlich und blies ein paar besonders schöne Rauchkringel in die Luft, denn er hatte wirklich sehr viel Zeit und konnte sich gar nicht erklären, weshalb sich die fremden Leute darüber aufregten.

Eines Tages aber geschah etwas Sonderbares. Da kam der Schäfer mit seiner Herde am späten Nachmittag unversehens an einen Bach. Der Bach war nicht übermäßig breit, aber so reißend und tief, dass die Schafe ihn nicht durchwaten konnten.

„Da müssen wir eben eine Brücke suchen“, brummte der Schäfer. Er zog eine volle Stunde am Bach entlang, es wurde schon langsam dämmrig, aber von einer Brücke war nichts zu sehen. Endlich fand er am Ufer ein altes Brett. Das mochte wohl jemand vergessen haben.

„Sieh da“, sagte der Schäfer, „da hätten wir ja, was wir brauchen!“ Er legte das Brett über den Bach, und nun konnte er mit seinen sechshundertsiebenundachtzig Schafen hinüberziehen. Weil aber das Brett sehr schmal war, mussten die Tiere einzeln über den Steg gehen, und das nächste durfte ihn erst betreten, wenn das vorherige bereits wieder festen Boden unter den Hufen hatte. Das war eine langwierige Geschichte, du musst dir das vorstellen:

Als Erster läuft Treff hinüber, dann Treibauf. Dann folgt ihnen zögernd und misstrauisch der Leithammel. Wie er endlich drüben ist, treibt der Schäfer das nächste Schaf auf den Steg. Das braucht auch wieder eine ganze Weile, bevor es am andern Ufer ankommt, denn vorsichtig setzt es Schritt vor Schritt. Und so geht das nun weiter. Aber der Schäfer hat ja viel Zeit, er hat sehr viel Zeit. Geduldig schickt er ein Schaf nach dem anderen über das Brett, alle sechshundertsiebenundachtzig. Es ist unterdessen schon dunkel geworden, der Mond steht am Himmel, die Sterne blicken herunter, der Nebel steigt aus den Wiesen auf.

Nun müssen auch wir Geduld haben, du und ich. Denn ehe nicht alle sechshundertsiebenundachtzig Schafe den Bach überquert haben, geht die Geschichte nicht weiter. Du fragst mich, wie lang das dauert? Ich glaube, du kannst es dir ausrechnen! Wenn du die Augen zumachst und dir die sechshundertsiebenundachtzig Schafe vorstellst, wie sie der Reihe nach über das Brett ziehen, graue und weiße und schwarze, dann wirst du ja merken, wenn alle drüben sind. Aber verzähl dich nicht! Wenn du darüber einschlafen solltest, was tut es. Morgen ist auch ein Tag, und da werden wir sehen, wie die Geschichte weitergeht.

Kennst du die Wolkenschäfchen?

Wenn der Himmel voller Wolken ist, bedeutet das meistens Regen. Aber es gibt auch freundliche Wolken, die keinen Regen bringen. An einem warmen Sommertag kannst du sie manchmal sehen: die Schäfchenwolken. Vor einem strahlend blauen Himmel laufen sie über dich hinweg. Wie große Wattebäusche sehen sie aus.

Weißt du, woher die Schäfchenwolken kommen? Wie alle Wolken am Himmel, bestehen auch die Schäfchenwolken aus dünnem Wassernebel. Die Sonne wärmt die Erde so stark auf, dass dort Wasser zu Dunst wird und nach oben steigt. Auf seinem Weg nach oben wird der Wasserdampf immer kälter und wenn er genügend abgekühlt ist, bildet sich eine Wolke.

Wenn du Schäfchenwolken siehst, bleibt das Wetter noch lange schön und sonnig. Gefährlich wird es nur, wenn die Schäfchen zusammenlaufen und große, dicke Wolken bilden. Dann kann es ein Gewitter geben!

Volksgut

Sonnengedicht

Liebe Sonne, gehst du schon wieder fort?
Was tust du dort hinter den Bergen?
Bleib doch ein Weilchen noch bei mir,
es ist so schön im Gärtchen hier.

Möchte spielen und springen noch.
Aber wenn du fortgehst,
dann kann ich nicht mehr sehen.
Muss gleich ins dunkle Bettchen gehen.

Die Sonne sprach: Mein liebes Kind,
dort hinter den Bergen auch Kinder sind.
Die haben geschlafen die ganze Nacht
und sind schon lange aufgewacht.

Und warten auf den Sonnenschein.
Möchten auch gerne in den Garten hinein.
Und spielen und springen und tanzen wie du.
Ade, mein Kind, nun geh zur Ruh.

Liebe Sonne geh nur schnell
und mach drüben das Gärtchen hell.
Ich will nun gleich ins Bettchen gehen.
Die Sonne rief: Auf Wiedersehen.

Volksmund

Rätsel-Reime

Kennst du das allergrößte Licht?
Es scheint und wärmt und brennt doch nicht.

Weißt du, wer am Himmel thront?
Es ist der gute alte ...

Im Mi-Ma-Milchstraßenhaus
wohnt die Mi-Ma-Milchstraßenmaus.
Die Mi-Ma-Milchstraßenmaus
wohnt im Mi-Ma-Milchstraßenhaus.

Das kleine Schaf auf Wolke acht
Wünscht dir eine gute ...

Michael Ende

Zum Einschlafen zu murmeln

Dusel dusel schummerlich
mir ist schon so schlummerlich.
Nur die gute alte Uhr
macht ihr Ticktack auf dem Flur.

Feines Kissen, weich und warm.
Liebes Kuscheltier im Arm.
Den Papa und die Mama
hab' ich lieb und sie sind da.

Nirgends ist es wie im Bett
so gemütlich und so nett.
Was wohl morgen werden mag?
Morgen wird ein schöner Tag.

Dusel dusel schummerlich
sachte Welle schaukelt mich,
wie auf einem Schiffchen leise
geh' ich auf die Traumreise.

Quellenverzeichnis

Wir danken den folgenden Autoren und Verlagen für die freundliche Abdruckgenehmigung:

Seite 15: Joachim Ringelnatz, „Bist du schon auf der Sonne gewesen?“; aus: Joachim Ringelnatz Sämtliche Gedichte.
© 1997 Diogenes Verlag AG, Zürich.

Seite 18: Max Bolliger, „Der kleine Stern“. © beim Autor.

Seite 21: Gerdt von Bassewitz, „Die Sternenwiese“; aus: Gerdt von Bassewitz. Peterchens Mondfahrt. © Südwest Verlag, München.

Seite 26: Dorothée Kreusch-Jacob, „Das Wolkenschäfchen“; aus: Dorothée Kreusch-Jacob. Sieben kleine Siebenschläfer.
© 1998 Patmos Verlag, Düsseldorf.

Seite 30: Walther Hohenester, „Das nahm der Mond sein Pfeifchen“, aus: Walther Hohenester. Da sagt der Mond Gute Nacht.
© 1990 Lentz Verlag in der F.A. Herbig Verlagsbuchhandlung GmbH, München.

Seite 34: Walther Hohenester, „Felix, der Astronaut“, aus: Walther Hohenester. Allerneueste Gute-Nacht-Geschichten.
© 1993 Lentz Verlag in der F.A. Herbig Verlagsbuchhandlung GmbH, München.

Seite 40: Christa Wißkirchen, „Lichter in der Stadt“.
© bei der Autorin.

Seite 46: Walther Hohenester, „Da blies der Mond sein Lämpchen aus“, aus: Walther Hohenester. Da sagt der Mond Gute Nacht.
© 1990 Lentz Verlag in der F.A. Herbig Verlagsbuchhandlung GmbH, München.

Seite 59: Christa Wißkirchen, „Der Mondkalender“.
© bei der Autorin.

Seite 61: Gerdt von Bassewitz, „Das Schloss der Nachtfee“; aus: Gerdt von Bassewitz. Peterchens Mondfahrt. © Südwest Verlag, München.

Seite 88: Janosch, „Das galaktische Rotkäppchen“; aus: Hans-Joachim Gelberg (Hrsg.). Geh und spiel mit dem Riesen. © 1971 Beltz Verlag, Weinheim und Basel, Programm Beltz & Gelberg, Weinheim.

Seite 100: Michael Grejniec, „Wie schmeckt der Mond?.
© 1993 by bohem press, Zürich.

Seite 104: Christa Zeuch, „Also tschüss und gute Nacht“; aus: Christa Zeuch. Unten steht der Semmelbeiß. Gedichte für Kinder.
© 1979 Anrich Verlag.

Seite 106: Erwin Grosche, „Der Schlafbewacher“, aus: Hans-Joachim Gelberg (Hrsg.). Geh und spiel mit dem Riesen. © 1971 Beltz Verlag, Weinheim und Basel, Programm Beltz & Gelberg, Weinheim.

Seite 110: Otfried Preußler, „Sechshundertsiebenundachtzig Schafe“.
© by Otfried Preußler.

Seite 114: Herzlichen Dank an Frau Marga Grahle und Frau Hildegard Mildner für die Suche nach dem „Sonnengedicht“.

Seite 116: Michael Ende, „Zum Einschlafen zu Murmeln“, aus: Michael Ende. Das Schnurpsenbuch. © 1979 bei K.Thienemanns Verlag, Stuttgart-Wien.

Originalausgabe als Anthologie

Die Schreibweise entspricht den Regeln der neuen Rechtschreibung.

Die Deutsche Bibliothek – CIP – Einheitsaufnahme:
Ein Titelsatz für diese Publikation ist bei der Deutschen Bibliothek erhältlich.

Umschlag und Innenillustrationen: Eva Möhle, Köln
Textauswahl und Redaktion: Cordula Gerndt
Sachtexte: Sven Melchert
Umschlag: Atelier Reichert
Gesamtherstellung, Layout und Satz:
Buch & Konzept, Annegret Wehland, München
Reproduktion: Litho Art, München
Druck und Bindung: Těšinská Tiskárna, Ceský Těšin
Printed in Czech Republic

ISBN 3-440-08992-4

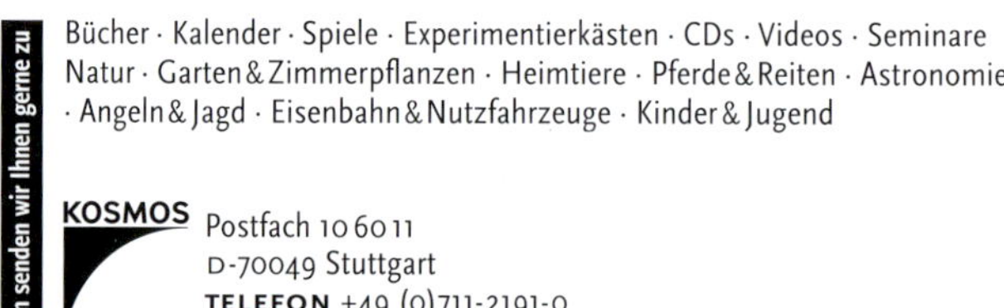